LE CIMETIÈRE DES ABEILLES

Alina Dumitrescu

Le cimetière des abeilles

récit

avec trois illustrations d'Edwin Stanculescu

triptyque

Triptyque remercie le Conseil des arts du Canada
et la SODEC pour leur soutien financier.

Gouvernement du Québec
Programme de crédit d'impôt pour l'édition de livres – Gestion SODEC

SODEC
Québec

Nous reconnaissons l'aide financière du gouvernement du Canada
par l'entremise du Fonds du livre du Canada pour nos activités d'édition.

Financé par le gouvernement du Canada | Canada

Triptyque est une division du Groupe Nota bene.

NOTE DE L'ÉDITEUR

Ceci est une œuvre de fiction. Toute ressemblance avec des personnes ou des faits existants est de l'ordre de la coïncidence.

ISBN : 978-2-89741-099-5
ISBN PDF : 978-2-89741-100-8
ISBN ePUB : 978-2-89741-101-5

On croit que lorsqu'une chose finit,
une autre commence tout de suite.
Non, entre les deux, c'est la pagaille.

Marguerite DURAS,
Hiroshima, mon amour.

au génie de la langue

à Andy

aux grands frères, qui se reconnaîtront

J'ai, enfin, rencontré monsieur de La Fontaine

Aller à Paris, réparer l'erreur d'origine.

Chez mes parents roumains, la cigogne aurait trouvé une note : inconnue à cette adresse.

Elle aurait pu me reprendre, faire un détour. Mais non : c'était une cigogne sans imagination, unilingue et fatiguée, de surcroît.

Appeler d'autres fées sur son propre berceau. Choisir une autre langue pour conjurer le sort, une autre langue que celle de son enfance.

Des années de rêves et de lectures, sur Paris, un peu la France, des films de guerre, ou plutôt des films romancés au sujet de la guerre. Jacquard, les frères Lumière, Bernard Palissy, Marie Curie, Blériot et Pasteur. Les Français ont été, pendant des siècles, ceux qui savaient ; ils savaient pour Dieu et les cathédrales, pour les tissus et les mariages morganatiques, les bateaux, les lois et l'art, la mémoire et l'extraordinaire sens de la formule.

Derrière les frontières fermées, imperméables, je me faisais mon cinéma.

L'unique fois où j'ai pu sortir du pays, histoire de me préparer à aller en Occident, ce fut à 19 ans, par le Train de l'amitié roumano-soviétique.

À la descente du train, gare de Moscou, ma soif de l'étranger avait reçu un violent coup : on nous attendait, tapis rouge, drapeaux et fanfare qui jouait l'*Internationale*.

Enfin Paris, le ciel découpé par les platanes. Au tournant d'une rue vers le musée, autre miracle, je rencontre monsieur de La Fontaine lui-même.

Je le salue bien bas, il reste de bronze, avec son renard, son livre sous le bras et le corbeau au fromage. Nous sommes square du Ranelagh, dans le seizième arrondissement.

Coup d'œil à la Sorbonne, là où je n'ai pas étudié. La façade est en rénovation. Dans la rue, librement, des étudiants parlent roumain aussi. C'est le temps d'Erasmus.

Je suis arrivée trop tard.

Petite librairie de quartier, j'achète cahier et encre. À côté, une autre, exclusivement philosophique celle-là, perdue dans ses pensées.

Le soir, le beaujolais nouveau, servi en terrasse avec des braseros qui nous chauffent les mollets. Très chic, très Occident.

Je ne suis peut-être pas arrivée trop tard, le beaujolais se renouvelle année après année.

Le sang de la France glougloute dans mes veines.

Aux environs de la tour Eiffel, des gitans roumains veulent me vendre des breloques. Des breloques représentant la tour Eiffel, vendues par des gitans roumains, trois euros plus cher que les mêmes breloques à la boutique de souvenirs de la tour elle-même. Ça dépasse, et de loin, l'autofiction. Même les gitans sont arrivés avant moi.

En haut de la tour, coupe de champagne amoureuse, cliché-cliché, mais c'est sans tenir compte des protagonistes. Moment d'éternité.

Dans les toilettes de la tour, une dame-pipi, comme dans les vieux films en noir et blanc, tricote. De toute évidence, je ne suis pas arrivée trop tard.

Sur les toits, une vraie armée de terre cuite ; des cheminées parisiennes.

Promenade sans but : je suis à Paris ! Les trottoirs sont des trottoirs parisiens. L'air parfumé d'octobre me prend dans ses bras.

Pas de bouquinistes sur les quais de *la Seine qui a de la chance et n'a pas de soucis*. Prévert, mon vieux, tu n'y es plus du tout.

Je suis à Paris, je respire l'air du temps et j'ai le cœur tarabiscoté à l'image des balcons en fer forgé.

À l'Ambassade d'Auvergne, le foie gras et l'aligot, alcool de coings. Rattrapage.

Je pense aux fables du monsieur de bronze : *rien ne sert de courir, il faut partir à point.*

Métro Odéon, en sortant, le regard tombe directement sur la courtaude et très expressive anatomie de Danton. Sur le socle, les mots qui vibreront à jamais :

Après le pain, l'éducation est le premier besoin du peuple.

Sur ce, la grandeur de la France finit de m'achever en même temps que s'achève le trop court voyage.

Dans l'avion, au retour vers ma France-en-Amérique, je me promets d'y retourner bientôt ; surtout pour les platanes et pour les cheminées en terre cuite. Le ciel de Paris.

L'entre-deux

Ce matin, au réveil, mon monde tourne sur son axe, en ronronnant comme d'habitude.

Pendant la nuit, *ceux qui savent* mettent les clés dans les bonnes serrures, retracent les frontières et rappellent à l'ordre les tornades.

Avant sept heures, ce matin, mon monde se tenait bien ficelé, logique et congru sur la rue Bayne de Montréal, Québec.

Dans le minuscule appartement, pendant les jours de semaine, les dictionnaires côtoient les cafards. Chacun son tour : le jour, les dictionnaires, la nuit, les cafards. La fin de semaine, c'est moins clair, cafards et dictionnaires copulent dans un désordre orgiaque.

Le résultat : des mots à trois têtes, des avortements spontanés et du cafouillage les lundis matin.

Pendant le jour, les ordres se donnent en français. Et pendant la nuit ? Les cafards se promènent sur leurs multiples pattes. Comme les rêves, les fins de semaine s'écoulent dans des bribes de langues et d'odeurs mélangées.

Je m'endors chez moi et je me réveille en Occident, en français de surcroît. Le français, c'est la culture, la grande. On parle histoire, on parle humanité et transcendance. Pour les mots plus modestes du quotidien, je n'ose pas faire appel au français, cette grande dame.

Réduite au silence, certains matins je me réveille du côté du roumain, certains autres du côté du français. Le plus souvent, les paupières entrouvertes, je reste au lit un long moment, au beau milieu du gâchis. Mi-figue, mi-raisin, mi-français, mi-roumain, j'ai la tête embrouillée par l'effort d'arriver aux mots.

Le dernier rêve de la nuit aurait-il une incidence sur la langue du réveil ?

Ou peut-être le côté du lit ? Gauche pour le français, langue de la main gauche, rive gauche, langue du deuxième lit. Roumain, du côté droit : c'est la descente du lit qui facilite la sortie.

Sursaut linguistique : vivre dans le provisoire, dans le doute, dans l'autocensure. *Puisque* ou *parce que*, *bientôt* ou *tantôt* ?

Des échos nostalgiques du temps où l'accès aux mots était direct, lumineux, instantané.

Les mots attendaient sagement, patiemment qu'on leur fasse signe. Ils se reconnaissaient aussi entre eux, s'appelaient par leur nom. Les mots savaient garder leur rang, attendaient leur tour. Dans mon enfance, ils faisaient même, quelquefois, les premiers pas.

On parlait naturellement, sans états d'âme, on disait *maman*, *chien*, *papa*, *parti* et *donne* ! On nous disait *merci* et *bravo* !

On parlait comme on respire, comme on regarde ou comme on mange. Sans façon, sans arrière-pensée.

Il suffisait par contre d'un visiteur étranger, d'un film sous-titré, d'un cours de langue, de la moindre trace de migration. Révélation et trouble : on ne parle plus, on parle une langue en particulier.

Pendant les vacances à la mer Noire, on rencontrait à la plage des Allemands, des Italiens et des Nordiques. Ils étaient beaux, sculptés par la lumière sur l'huile de bronzage parfumée. En état d'éveil, je buvais ces odeurs étrangères, jamais humées auparavant par mes narines avides d'exotisme.

Les touristes-de-dehors portaient des maillots de bain colorés et des lunettes de soleil très chics. Même leurs rides les éloignaient de nos parents ; ils devaient avoir des soucis différents qui creusaient des rides ailleurs sur leur visage.

On leur parlait *étranger*. La plupart du temps, un peu de français suffisait.

Les étrangers à la plage étaient aussi dignes d'être admirés que la mer Noire elle-même. Et puis, ils avaient du chocolat.

Guerlain en Amérique

Le frère fait partie de ceux qui savent ; comme eux, il connaît les rouages, sait comment introduire les clés dans les serrures des mécanismes, mettre la terre en branle pour encore une journée.

De temps à autre, dans les entrailles de la terre, là où certains placent l'enfer à cause des volcans, les rouages s'encrassent. Pendant mon sommeil, ceux qui savent comment faire tourner la terre font le nécessaire.

À mon réveil, tout ronronne déjà : le soleil est à sa place, les avions haut dans le ciel ; les mourants meurent, les femmes accouchent, le lait a été livré.

Je vis de l'inflation des mots. Le vocabulaire de l'abondance. Le lexique du bonheur. Les marques commerciales de l'Occident. Guerlain parfumeur. Guerlain en Amérique.

Impostures d'Amérique. Les Européens y ont seulement changé un peu leurs noms, et les Juifs aussi. Ma maison exilée donne sur l'autoroute. Pas de ruche, pas de lilas, pas d'abeilles.

Une seule abeille, celle, stylisée, sur la bouteille de parfum : *Aqua Allegoria*, *Mandarine basilic*, *Guerlain*, *Paris*. Le matin, à sept heures de décalage horaire, il faut superposer soigneusement les pleins et les vides. Mon monde à moi, une vraie passoire jusqu'à l'autre côté de la terre. Des canaux, des réminiscences.

Les détails, les trous minuscules, sont souvent gommés dans les grands mécanismes. Ceux qui savent, élus de la race des élus, portent au lever du jour leurs clés à molette, leurs clés anglaises, leurs éteignoirs de réverbères.

Au lever du jour, un moment de désordre ; les objets ont un contour flou, laiteux.

Chaque matin de ma nouvelle vie, je bois mon café accompagné de deux tranches d'autofiction à l'érable ; les tranches qui me rendent la vie supportable.

La vie saupoudrée des mots qui désignent des réalités jamais vécues, intouchables. Les mots du désir, de la possession matérielle.

Je vis dans le luxe des mots. *Guerlain parfumeur*, *évanescence*, *entre la poire et le fromage*, *apéritif*, *incongru*.

Des mots parfaits, semblables à des épitaphes. Enfin, une conclusion d'après la vie, des mots voués à l'éternité.

Ceux qui savent, les initiés, font vibrer les mots avec les mots, les silences avec les silences.

Ils réussissent également, sans trop de peine, à faire coïncider les vides avec les vides, les pleins avec les pleins dans les engrenages des temps modernes.

L'autoroute est toujours là à marcher sur la pointe de ses heures, l'autoroute de tous ceux qui courent, qui coursent, en voiture, en camion, en permanence, au-delà du triple vitrage.

Mon abeille seule, figée sur la bouteille de parfum. *Guerlain*, *Paris*.

La bouteille engoncée dans sa boîte blanche alvéolée sert à verser un peu de parfum, de luxe et d'espoir, dans l'engrenage de mes jours.

Coupée en amont et en aval de ma langue d'origine, la langue maternelle rétrécit jusqu'à devenir uniquement la langue de la mère. Ma mère ne peut prononcer ni les *u*, ni les *en*, ni les *e*.

Petite, je me retirais tout doucement dans ma tête, pour lui échapper. Maintenant, c'est dans le français que je m'abrite. Je fais la sourde oreille en écrivant dans une langue qu'elle ne peut ni lire ni comprendre. C'est ma vengeance linguistique.

Mes enfants, eux, vengeance involontaire, ne lisent pas le roumain, et les mots qu'ils comprennent en roumain, vocabulaire limité, ne sont que la langue de leur mère. Je suis la seule personne à leur parler roumain ; le plus souvent, nous nous parlons en français. Entre eux, mes fils parlent français, oui, mais aussi films, informatique et secrets. Tant d'autres langages qui me sont inaccessibles.

De ma mère, je suis orpheline linguistique, de mes enfants, endeuillée.

Une situation inextricable, la langue qui se tarit faute d'être utilisée. Les souvenirs se tarissent aussi, faute d'être revisités.

La langue maternelle, devenue langue de la mère, deviendra entre nous langue morte. Nul autre cataclysme que celui de l'émigration.

Mes fils ne peuvent pas goûter aux subtilités de la langue qui m'a bercée et par laquelle j'ai eu aussi accès au français. Mes fils me sont devenus étrangers, sacrifiés pour une vie meilleure, un avenir radieux. Je suis sortie du rang, de ma lignée, je suis sortie aussi de mon continent. Émigrer, l'énorme blague, je me cherche ailleurs pour voir si j'y suis. Et la plupart du temps, je n'y suis pas.

En voyage au pays, je n'y suis plus ; mon lilas vieillit et a des absences, ne me reconnaît plus. De retour dans mon pays d'adoption, je n'y suis pas tout à fait. Double absence. Prises de doute, mes racines poussent en couronne, sens dessus dessous. Des racines aériennes.

Fragile barrière contre l'oubli : les quelques chansons de l'enfance, des histoires, des intonations et des comptines. Une lumière, le livre de recettes de ma mère, l'abécédaire.

Ma propre liste de Schindler : qui sera sauvé, quel mot, quelle histoire ? Ils m'ont laissée partir avec deux valises, seulement ; deux valises et l'enfant. Les meubles vendus, les bijoux donnés ou liquidés, les tapis abandonnés aux *mites* fondateurs.

ALBUM D'ENFANCE

Panoptique[1]

Autrefois, je prenais le chemin le plus court jusqu'aux mots ; il suffisait de tendre la main pour avoir du pain. Tout en haut de la tour, l'Œil sans repos. Sur l'Autel, des fruits, du blé et du bois.

Mes enfants ne parlent déjà plus la langue, ou si peu. La langue seulement des prières et des cantiques ; la langue des colères. De quoi peuvent bien être faits leurs rêves ? Quel mot désigne pour eux la *nostalgie* ? De quelle couleur la peur, le cri, l'odeur du bois ? Tremper ma plume dans mon sang, avant que ne tarissent les souvenirs. Mon enfance anagramme. Mes racines aériennes. Ma vie ailleurs, sève

---

1. Le panoptique est un type d'architecture carcérale. Une tour centrale permet aux geôliers de surveiller, sans être vus, tous les faits et gestes des prisonniers, enfermés en cellules dans un bâtiment en anneau encerclant la tour.

détournée, destinée inachevée. Ma vie ailleurs, pauvre, en deçà du seuil du traduisible.

Autrefois, je connaissais le chemin direct jusqu'aux mots, il suffisait de tendre la main pour avoir mon pain, de pencher la tête pour étancher ma soif.

En haut de la tour, l'Œil. Sur l'Autel, le dictionnaire. Autodafé.

La mémoire sent le roussi. Il y avait de tout dans mon village : des montagnes et des enfants, du pain et des histoires. Nous avions nos Grecs, nos Macédoniens et nos Tziganes ; l'hôpital, l'école, la fabrique à pain. À sept heures, la sirène de la fabrique nous rappelle que l'heure de l'école approche.

Le vieux Juif, l'horloger, avec son pantalon de golf carreauté et la chaîne de sa montre de poche qu'il promène les matins de sabbat sur la rue principale ; il nous donne une pièce de monnaie, un *leu*, à mon frère et à moi. Peu importe qu'on soit chrétiens protestants : comme lui, nous observons le sabbat ; au lieu du dimanche, comme tout le monde, c'est le samedi que nous allons à l'église, lavés, repassés et assagis de près. Monsieur l'horloger, lui, c'est à la synagogue.

L'Œil sans paupières, en haut de la tour, le regard mauvais.

L'Hermaphrodite : on chuchotait sur son compte des histoires invraisemblables, dans la cour de l'école et dans les cabinets.

Nous avions notre Folle. Grosse, robe fleurie et collier de perles, le visage blanc, les cheveux noirs et la bouche rouge plaie : Pakitzanka.

Nous avions notre Unijambiste, l'inévitable héros de guerre qui quête le long des rues, d'une voix nasillarde sous son chapeau de trous et de médailles. C'est à qui, parmi les enfants, lui donnerait le premier quelque chose à manger. Je lui donne du pain noir et un oignon, un peu d'argent, parfois.

Le Cultivateur qui, au trot de son âne, nous vendait des pommes de terre à la criée. Nous nous accrochions en catimini à son carrosse en attendant avec frissons le moment où il nous découvrirait, et nous donnerait des coups de cravache.

Nous avions notre marché, central comme tous les marchés. Les tables en ciment, poissons, fruits, légumes, herbes, fromages en feuilles de vigne, paniers tressés. Les tables de morgue, de dissection, en ciment. Surtout les poissons, à grande eau.

Oh, *les nourritures terrestres* !

Nous avions la Veuve et l'Orphelin agencés, le Pédéraste, la Femme pieuse, le Peintre sourd-muet et, oui, au beau milieu du parc, le monument à la mémoire du Soldat inconnu.

J'empruntais, jadis, le passage secret jusqu'aux sons ; il suffisait de tendre la main pour avoir mon pain. Du haut de la tour, l'Œil sans repos. Sur l'Autel, l'oreille. Autodafé.

*

Autrefois, je connaissais le chemin jusqu'aux mots, il suffisait de tendre la main pour avoir mon pain. Autrefois, je comprenais la langue des abeilles camomille. L'Œil sans paupières, en haut de la colline.

Il y avait de tout dans mon village : l'église orthodoxe, l'église catholique, l'église protestante, la synagogue. Là, les choses se compliquaient un peu du côté du cimetière : cimetière juif, ça va. Cimetières orthodoxe, catholique : limpide. Où enterre-t-on les morts protestants ? Pas le droit d'avoir un cimetière, donc on mourait le moins souvent possible, pour ne pas déranger. Quand on n'en pouvait plus, on mourait un tout petit peu, tout de même.

Et alors, on nous enterrait au bord du cimetière avec les enfants non baptisés, les Tziganes et les suicidés.

À chaque nouvel enterrement, on rendait un peu visite à ces morts étonnants, avec des vies de deux jours, de deux semaines. Des croix en bois, passées à la chaux, des noms vite lavés par la pluie et par le vent en deux jours, en deux semaines.

En haut de la tour, l'Œil sans repos. Sur l'Autel, le souvenir. Autodafé.

*

Il y avait de tout dans mon village : du pétrole, du sel, l'Apatride, le musée, des sources d'eau minérale, la gare. On lit sur la pancarte : *Gare Terminus*.

Avec ma petite valise bleu délavé, je me mêle aux voyageurs qui arrivent, en espérant secrètement une heureuse contamination. Je les observe : leurs vêtements, leurs bagages, leurs attitudes, leurs appareils photo. Je prends l'air désabusé de celle qui voyage aussi. Et je me dépêche de rentrer à la maison avant les parents.

Le grand frère part à l'armée. Papa lui a fait faire une valise en bois brun laqué, qui sent la peinture fraîche des enterrements. Dernière photo de famille avant la tête rasée. Enfance terminus.

Autrefois, je connaissais le chemin sans entrave jusqu'aux mots, il suffisait de tendre la main pour avoir mon pain et de plier les genoux pour boire à la source.

Les jeudis, les enterrements des Tziganes. La fanfare fait vibrer ses cuivres d'airs joyeux. J'en suis convaincue, les enterrements du jeudi ne comptent pas.

Les jeudis aussi, les mariages des Tziganes. La fanfare, la même, tient le village éveillé jusqu'aux petites heures du matin. Je crois que les mariages des jeudis ne comptent pas non plus.

*

Il y a de tout dans mon village : la pharmacie, le stade, le cinéma, le kiosque à journaux. La vendeuse sans bras du kiosque à journaux tricote et se peigne avec ses pieds. Elle nous rend gracieusement la monnaie.

Le visiteur… Il loge chez les voisins, il est noir. Il a du chewing-gum, du chocolat, un passeport étranger, et il parle étranger. Je lui montre mes trésors : ma cravate de pionnier et mes médailles, en espérant un peu de chewing-gum, en échange. Mais il ne comprend pas.

Dans ma classe de deuxième, les enfants sont blonds aux yeux bleus, n'ont jamais vu ni passeport ni chewing-gum et absolument pas de Noirs. J'explique au visiteur, avec force gestes et mimiques et les mots français que je connais, que j'aimerais l'amener à l'école. Il comprend, cette fois-ci. Je l'y amène en le tenant par la main. Émoi des enfants, on chuchote, *Mais il est noir, il est complètement noir !* Rougeur au visage des professeurs : je n'ai pas demandé la permission avant d'amener un visiteur à l'école. Je n'ai pas de retenue, cette fois-ci : mon institutrice évite soigneusement les incidents diplomatiques.

Et pendant des mois et des mois, on gage à qui mieux mieux que la peau du visiteur est blanche en dessous de sa chemise et que sa *noiritude* s'arrête au col et aux poignets de sa chemise (jazzman des années trente à l'envers).

*

Il y a de tout dans mon village ; les seules choses importées : les montres russes, la religion protestante, les olives, le magnolia devant l'hôpital, les stylos-plumes chinois, les appareils photo allemands, la rose bleue de Russie, les oranges et les citrons, le communisme.

Pour le reste, on a tout : des grands-mères, des moulins à café, du pain, le patriotisme local, un piano, un métier à tisser, des professeurs, le Médecin, une colline, la Couturière, le Marchand de peinture (barbe blanche et mèches multicolores), des sapins, des légendes, la Diseuse de bonne aventure, le Fou, la cantine des pauvres, le Cordonnier.

De tout : des abeilles et du miel, un drapeau, des illusions, des sources d'eau minérale, le Peintre.

Parmi les choses importées, je préfère les oranges et les citrons. Leur emballage en papier de soie garde longtemps leur parfum ; on y lit : *Jaffa*.

Autrefois, je me rappelle, j'habitais à longueur d'année le passage secret qui mène directement aux mots : *rose is a rose is a rose is a rose*. Il me suffisait de tendre la main pour toucher le pain, de lever le pied pour danser et de pencher légèrement la tête pour que la surface de l'eau vole en éclats. Le jus sucré de la pomme, chaud, acide, au fond de la gorge, coulait sans ambiguïté aucune : une pomme est une pomme est une pomme est une pomme.

En haut de la tour, l'Œil de Gertrude Stein. Sur l'Autel, un peu de blé, le nœud papillon de Tristan Tzara et une poignée de cendres.

Une fois l'an, en automne, le Cirque.

La guerre aux Turcs

Cet après-midi, mon grand frère part à la guerre contre les Turcs, là-bas, derrière la colline. La guerre, c'est connu, ce n'est pas pour les petites filles de 5 ans ; les grands garçons de 11, c'est une autre histoire.

Je prie tout l'après-midi, veuve et orpheline tout à la fois, les mains poisseuses bien serrées l'une contre l'autre, pour que mon frère revienne victorieux et, surtout, vivant de sa guerre contre les Turcs.

Je commence à avoir faim ; où sont les parents quand ça compte ?

Je presse mes mains sur le devant de ma salopette, sur mon ventre vert-olive-velours-rayé ; j'ai faim, mais pas question de baisser la garde. Ma vie en dépend. Les mots perdent leur sens. Peur panique : du sens, vite, du sens. Le Très-Haut, le Tout-Puissant, mon frère, les Turcs, faites qu'il soit toujours en vie ; j'ai faim, mon frère, le soleil, la colline, le Très-Puissant, qui vivez… non, qui êtes au ciel, j'ai faim. Faites qu'il soit toujours en vie, ne me laissez surtout pas seule avec les parents !

Rien ni personne entre eux et moi ! Et si tout à coup ils s'en rendaient compte ? Notre Père, je ne volerai plus de cerises chez les voisins, faites qu'il soit vivant… Mon ventre vert-olive-velours-rayé… J'ai faim !

*

Les parents nous appellent à table. Mon frère se matérialise… Je veux l'embrasser : *pas le temps, tu as les mains sales*. Laver ses mains pour manger. *Enlève tes coudes de sur la table ! Qui fait la prière ?* Pas moi ! Mon frère, pas d'égratignures, les parents ne semblent guère au courant de cette guerre. Le soleil ne finit pas de tomber derrière la colline, mes paupières devant la soupe. J'ai prié tout l'après-midi, moi. Ç'a marché. Apparemment.

Mon frère fait maintenant ses devoirs. Moi, je fais semblant de jouer tout en le guettant du coin de l'œil : pourrais-je le surprendre en état d'héroïsme, mon amour, mon frère ?

Madame, jambon et Francisco de Goya

Le soleil se couche sur la rue poussiéreuse. Je ne veux pas rentrer : on me demandera de me laver, de faire mes devoirs, on prendra ma température, on prendra à l'œil la mesure de mes mensonges, on me peignera.

J'étire le coucher du soleil jusqu'au menton. Se coucher les pieds sales, sans manger, sans répondre aux questions…

Entre mes parents et moi, la mince paroi des soucis quotidiens, le grand frère paratonnerre et le coucher du soleil.

La rue poussiéreuse, les voisins dans leurs maisons, les ombres qui s'allongent, un pressentiment de bonheur. Surtout, ne pas rentrer.

Une silhouette fine, enturbannée, change imperceptiblement le compte des ombres : Madame M., la professeure des cours de français privés. L'Inclassable, l'Exquise, verticale et majuscule jusque dans la pensée.

Son ombre sent bon le parfum qu'on n'achète pas au pays, comme on n'achète pas au pays son turban, sa broche, ses manières, ses lunettes, son sac à main, ses souvenirs. Une ombre au complet qui n'a pas cours au pays.

Madame M. nous apprend la valse, les œufs de Pâques en chocolat, *Mon beau sapin*, les routes de l'Europe, les bals d'autrefois, la ponctualité, les quais de la Seine, le français, les bouquinistes, la loupe. Sa poupée alsacienne accrochée à la lampe.

Assignés à résidence au village, elle et son turban suintent la subversion.

Je recompte jalousement mes ombres, choisis la dernière et la suis. Surtout, ne pas rentrer.

Madame M. continue son chemin jusqu'à une maison délabrée, près de la cantine des pauvres. Dans sa sacoche, un parapluie, du jambon et un album d'art : *L'univers de Francisco de Goya*.

La porte s'ouvre sur des chats qui entourent avec stridence une vieille édentée. Cinq chats et une petite vieille, tous en noir, tendent la bouche pour attraper au vol les morceaux de jambon que Madame M. leur lance. Les chats sont les plus agiles, ils gagnent : une fois, deux fois, trois fois. Cinq chats et une vieille, six gueules affamées. Puis un sourire cruel. Madame M. adore les chats.

Je rentre à la maison.

Essayages

Debout devant le miroir à dos d'argent, j'essaie des sons de cette nouvelle langue, chic et hautaine. J'arrondis ma bouche sur des mots et des phrases qui n'existaient pas jusqu'ici dans l'atmosphère barbare : *e*, *u*, *en ! Allons ! Bonjour ! Évanescent ! Je vous en prie ! La Seine a de la chance, elle n'a pas de soucis, elle se la coule douce, le jour comme la nuit !*

J'ai mal aux joues. J'ai aussi mal aux lèvres, tordues autour des mots dont elles n'ont pas l'habitude.

Je me mets debout devant le miroir sur pied, je scrute mon image jusqu'aux larmes : qui seras-tu, comment seras-tu ? Je me vouvoie un peu, à l'occasion, histoire de ne pas tomber dans une familiarité indue envers quelqu'un dont je ne connais même pas la destinée.

Je scrute mon image aussi objectivement que possible et j'essaie de toutes mes forces de deviner, de prédire. Il y a des gens qui prédisent l'avenir dans le marc de café séché au fond de jolies tasses minuscules. Le café préparé, bu et renversé exprès pour la divination.

La voisine au visage émacié, un peu pute, fumeuse impénitente, fait dans l'oracle payant. Selon les dires des vieilles, elle porte des culottes d'un blanc éclatant, signe incontestable de sa déchéance. Elle en a des dizaines. Avec les Russes qui sont entrés en Tchécoslovaquie et la collection de souliers d'Imelda Marcos, c'est une des choses les plus scandaleuses dont j'aie jamais entendu parler ; et encore, les autres, c'était à la radio. Je cours dans la soirée naissante pour compter les culottes sur la corde à linge de la Pythie : blanches, vingt-trois !

Je suis honteuse et troublée d'entrer ainsi dans ses tiroirs par la vue du jardin.

Moyennant un peu d'argent, des aliments ou des cigarettes, elle prédit l'avenir dans les cartes de jeu, dans le marc du café ou dans les lignes de la main. Pour un peu d'argent aussi, on dit qu'elle soulage les hommes de leur solitude.

Je prends un pot de miel de la maison, et je frappe à sa porte. On l'appelle la Pute, la Voyante et même la Sorcière depuis tellement longtemps qu'on a oublié son nom. Moi, je l'appelle *Madame* et j'entre dès qu'elle m'ouvre la porte. J'évite soigneusement de toucher la poignée. Les rumeurs, ses culottes, ces gens-là !

Je ne l'ai jamais vue de si près et mon cœur bat la chamade. Je serre contre moi le pot de miel : là où il y a du miel, rien de mal ne peut m'arriver. À tant serrer, j'ai les jointures blanches et les doigts engourdis.

La Sorcière me demande de m'asseoir. Études à Paris ? Écrivaine ? Amour ? Elle connaît un peu la famille et je vais à l'école avec ses petites nièces. Nous avons tous un peu peur des nièces et nous achetons leurs bonnes grâces avec une pomme, un bonbon.

J'ai les joues en flammes, les oreilles qui bourdonnent et la vue embrouillée. Elle m'offre du café et je me sens vieillir. C'est la première fois qu'on m'en offre. On retourne la tasse et on attend quelques minutes. La Sorcière voit beaucoup de joie et beaucoup de malheurs, des désespoirs d'amour, des enfants, des morts et des voyages, tout au fond de la minuscule tasse de café. La pièce devient de plus en plus étouffante et la fumée des cigarettes flotte en des volutes épaisses qui finissent par m'aveugler complètement.

Heureusement, pour sortir de là il suffit de pousser la porte.

*

En chemin vers l'église, les parents marchent devant, bras dessus bras dessous ; les enfants suivent sagement.

Chaque samedi, je suis jalouse du galbe des jambes de ma mère, de ses chevilles de danseuse, fines et parlantes, à la peau bronzée. Les samedis, elle met ses souliers noirs, en cuir mat et verni.

La boucle tout au bout des souliers me pousse à l'ultime limite du désir de souliers. J'en tremble !

On les appelle des *souliers en cuir d'antilope*. Antilope ! Je me gargarise avec ce mot qui désigne un animal qui n'existe pas puisque je n'en ai jamais vu. Ah oui, une seule fois, à l'école, en quatrième année, sur une photo mal imprimée dans le manuel de géographie. Je m'étouffe avec ce mot étrange qui désigne pour moi les souliers de ma mère, les souliers du samedi ; le talon haut fait des va-et-vient dans ma gorge.

Anti-lope ! Anti-lope !

J'étouffe ! Les souliers de ma mère me restent en travers de la gorge.

Souliers de femme, femme du pays de la féminitude. *Anti-lope ! Anti-lope !* Mon père prône la droiture du talon et de l'esprit, les chaussettes fillette, et tient en haute estime le cordonnier et le prêtre qui réparent le tout deux fois par année. Inutile de foncer à bout de souliers dans toutes les pierres et tous les obstacles rencontrés, de les égratigner, de les laisser tremper, pieds dedans, dans les flaques d'eau. Mes souliers sont solides, cirés, et seront réparés avant la rentrée scolaire.

Je suis folle de jalousie : l'antilope, le galbe, les chevilles, le talon haut, les bas. Je n'ai jamais eu de talons hauts ni même un peu hauts, jamais de ces bas-culottes diaphanes, fragiles et si femme.

Devant le grand miroir, dans la chambre des parents, le tiroir ouvert, personne à la maison, le soleil filtre paresseusement par les fenêtres. Je tire les jalousies et j'enfile le bas-culotte de ma mère. Mes mains tremblent, je tire, je renifle ; c'est ça ! Je le savais ! Ça sent la femme.

Pour sortir de la chambre des parents aussi, il suffit de pousser la porte.

Mystique

Soif. Je me réveille dans le lit d'invité, au salon. Un lustre en cristal pend du plafond. La pendule morte depuis longtemps semble me tirer la langue. Le lustre est le souvenir de la grand-mère du temps où elle habitait la ville, jolie jeune fille habillée de velours.

Maintenant, le lustre jure avec la maison en terre battue. Les fenêtres étroites sont munies de barreaux de fer peints en bleu ; des pots de basilic et de géraniums écarlates ornent le pourtour de la maison.

Le village est désert dans la chaleur sèche de l'été. Une mouche étourdie fait sa musique dans la carafe vide. Dehors, quelques grillons lui répondent de leurs stridulations ; mouche et grillons modulent le silence. Les fourmis sont au champ.

Les jeunes sont partis à la ville pour étudier, pour se marier, pour oublier le chemin de terre battue. Les vieux sont grabataires, cachés dans les arrière-cours ou au cimetière. Seuls quelques chiens se tiennent à l'ombre, dans les recoins les plus frais.

De loin en loin, le silence est brisé par le chant d'un coq détraqué. Un coq, une mouche, un grillon.

Soif. Il faut se lever. Un dernier regard au lustre en franges de cristal et les pieds touchent à terre.

Dans le seau, pas une goutte d'eau. Dans la carafe non plus. Pas eu soif comme ça depuis les oreillons.

La tête enflait par en dessous des oreilles. Ça faisait très mal ! Et ça donnait soif de rester alitée à ne rien faire, à regarder les formes dans les craquelures du plafond passé à la chaux. On m'avait isolée pendant la maladie pour que le père et le frère n'attrapent pas ces oreillons ; chez les garçons, ça rend stérile apparemment. C'est la mère qui le dit, et puis elle le tient du pédiatre.

Du temps des oreillons, ma mère me rendait visite trois ou quatre fois par jour et elle m'apportait à boire. Elle m'appliquait sur la poitrine et dans le cou des compresses de ouate à l'huile chaude.

Pour me consoler, on m'avait apporté une boîte carrée de biscuits et deux livres d'enfant : le texte à gauche, à droite l'image.

Je ne savais pas lire. La soif me rappelle le désespoir d'être seule, d'avoir mal et de ne pas réussir par un simple effort de volonté à lire les pages de gauche. Je cherche dans l'armoire, me gratte la tête, mes cheveux humides et ébouriffés me chatouillent le cou, les oreilles.

L'armoire en noyer sent bon, un peu la lavande, un peu le tabac et un peu la naphtaline. Un veston d'homme, des balles de laine, des coupons de tissu. Ça sent aussi le renfermé, la cire d'abeille et le cuir. Une boîte à boutons, des ceintures, des souliers, un col en dentelle, un chapeau.

Soif ! En haut à gauche, accrochée à un cintre, une robe de mariée, en dentelle blanche, un peu jaunie.

J'enfile avec précaution la robe de mariée sur ma chemise de nuit. Me regarde dans la vitre de la pendule : joli ! La maison craque, la cloche de l'église sonne onze coups ! J'ai 9 ans, je sais déjà qu'il ne faut pas mettre de robe de mariée avant son propre mariage, surtout pas la robe d'une morte : ça porte malheur et on risque de ne pas se marier.

D'un coup brusque, j'ouvre la porte qui donne directement sur la cour blanchie par le soleil.

Ma tante m'a montré comment on fait pour puiser de l'eau ; il faut juste traverser le chemin. Le puits, froid au toucher, est surmonté d'une roue à manivelle reliée à un seau en bois.

Une fois tiré le morceau de bois qui freine la tombée, la chaîne se déroule à toute vitesse jusqu'au moment où le seau arrive avec grand fracas à la surface de l'eau. Mes bras ne suffisent pas et la manivelle glissant de mes mains me donne un coup à la tête.

Où sont les gens ?

Il reste à remonter le seau, à le déposer sur la margelle du puits et à remettre le morceau de bois bien en place.

Accrochée par une petite chaîne à un clou recourbé, une tasse en fer-blanc ; c'est la tasse dans laquelle tout le village a bu et même les voyageurs. J'y bois aussi.

La route poussiéreuse et vide à perte de vue. Où sont les gens ?

Parée de la robe de mariée, je marche avec majesté dans l'air sec ; un cortège nuptial se forme tout naturellement : la mariée, quelques chats curieux de cette apparition, deux jars belliqueux qui défendent la blancheur de leurs oies, des abeilles et des coccinelles attirées par les fleurs dans mes cheveux.

Tout au bout du chemin de terre se dresse une petite colline. Fillette en robe de mariée, je marche droit devant, j'ai soif, j'ai chaud, mais n'ose plus me gratter la tête à cause de la robe et à cause des abeilles. Je tiens la robe pour ne pas trop la salir et marche la tête penchée. Soudainement, une fraîcheur, un souffle doux, un foisonnement ; la lumière change.

Je redresse la tête et regarde : droit devant moi, une vision. Un arbre suprême, feuilles et ciel. À ce moment précis, je sais que j'ai rencontré ma destinée. Et je chuchote : *Dieu ?*

Mon oncle Sacha

Campagne. Nous avons encore une fois bien mangé. Encore une fois. L'oncle Sacha élève des poules, des lapins, des vaches, des moutons, des dindes.

Pendant les vacances d'hiver et les vacances d'été, nous mangeons si bien.

L'oncle fait pousser de la vigne, des groseilles, des histoires, des griottes, des prunes et, il le jure, des tulipes noires. Nous, les enfants, serrons bien nos paupières devant ces tulipes, pour lui donner raison et, à force d'y croire, de vouloir, on les trouve mauves, indigo, oui, presque noires.

L'oncle Sacha s'est fait faire un alambic en cuivre pour l'eau-de-vie de prune.

Il en fait le commerce souterrain sans jamais se faire prendre. Par les temps qui courent, l'eau-de-vie est une denrée rare, monnaie d'échange (on l'utilise pour soudoyer les policiers, payer le médecin et même le prêtre). Le professeur en veut et la tante Agathe, celle qui fait la lessive chez nous, en veut aussi, pour ses rhumatismes, qu'elle dit. Les courants d'air, pourtant, se font rares au pays ; les frontières sont bien scellées. Les gardes-frontières boivent eux aussi de l'eau-de-vie, ce qui rend leur jugement léger et leur main tremblante.

L'alambic est illégal, son détenteur passible d'emprisonnement, mais comme beaucoup font des rhumatismes, au pays... et comme tous veulent oublier... même ceux qui ne boivent pas d'alcool gardent une bouteille-talisman contre les maux à venir.

L'eau-de-vie est bonne également pour se faire mettre des ventouses. Il doit y avoir un peu d'alcool qui pénètre par osmose dans le corps de l'enrhumé. Et comme les enrhumés veulent oublier aussi...

Petit village entouré de collines, routes poussiéreuses et maisons au contour imprécis, sur le fil du ruisseau. Et puis, on est loin de la capitale : plus on est loin de la capitale, mieux on se porte.

L'oncle aime les poules, et il nous aime aussi, les enfants. Curieusement, il ne nous regarde jamais droit dans les yeux.

Ma mère dit qu'il a honte de sa lèvre charcutée par le bistouri d'un médecin, sur le front de l'Est.

Mon père ne dit rien.

La grand-mère parle d'une façon bizarre, avec des mots qui n'existent pas ; mais nous comprenons le langage du sucre. Nous comprenons tout et tout de suite quand elle nous donne des biscuits villageois avec du rahat-loukoum[1] et du sucre candi[2].

---

1. Coupé en petits cubes, moelleux et élastique, au goût de miel et de rose, le rahat-loukoum est une friandise qui nous a été apportée par les Turcs. Lors de la chute de l'Empire ottoman, ils l'ont oublié derrière, comme ils ont oublié la moussaka, les sarmale, les chiftele et surtout, le café… turc.
2. Le sucre candi est utilisé dans la fabrication de l'eau-de-vie de prune. Sur une ficelle, de gros cristaux forment un chapelet. Si on lèche un cristal, il se défait en de plus petits cristaux qui reflètent la lumière.

Nous comprenons parfaitement les deux sortes de bonbons : menthe et lait, qu'elle trouve dans les poches de son tablier. Elle porte toujours un tablier sur deux-trois jupes superposées et elle sent de moins en moins bon. En l'épiant, une fois, je l'ai vue pisser debout et j'ai vu la poussière virevolter autour de ses chevilles nues. Depuis, je regarde toujours obstinément en haut de sa ceinture, à la lisière bigarrée et béante des poches de son tablier.

Ma mère dit : *Soyez polis avec l'oncle !* Elle dit aussi : *Soyez polis avec la grand-mère !*
Le père ne dit rien.

Et ils nous laissent tous les deux en vacances économiques logés-nourris-blanchis. La tante n'est jamais bien loin.

La grand-mère dit, quand elle est ivre, que l'oncle encule les bêtes. Elle jure, lui jette des malédictions et agite sa canne bleue en fer par-dessus la clôture.

La mère ne dit rien.
Le père ne dit rien.
La tante ne dit rien et fait le signe de la croix.

L'oncle non plus ne dit rien. De toute façon il parle surtout aux lapins, aux poules, à l'alambic et aux cochons.

Nous, les enfants, nous mangeons tous très bien, l'air de la campagne et la charcuterie de mon oncle font des merveilles. Et puis nous ne savons pas c'est quoi, *enculer*, nous nous rabattons sur la métaphore. De toute façon, nous ne comprenons pas tout ce qu'elle dit, la grand-mère, d'autant moins quand elle est ivre... C'est dialectal ! Voilà ! C'est ça ! On est d'accord : *enculer*, ça doit être dialectal.

L'oncle ne nous regarde jamais dans les yeux. Nous regardons, en sa présence, des photos de lui, jeune, du temps où il avait le regard et les lèvres intacts.

De temps à autre, il chante en russe et parle des roses bleues du bord de la mer Baltique, de la chienne Laïka et de Youri Gagarine. C'est son Amérique à lui.

La tante sent bon et monte la garde. Nous dormons toujours dans son lit à elle, du côté du mur passé à la chaux. La chaux désinfecte et fait blanc-bleuté-joli.

Nous avons si bien mangé, pendant des années, loin de la ville et de ses dangers. Le dicton dit : *La campagne forme la jeunesse*, à moins que ce ne soient *les voyages* ? Enfin, comme le père ne dit jamais rien...

La grand-mère meurt. Au retour du cimetière, sa canne bleue en fer appuyée sur le mur de la maison est inconvenante ; nous sentons une présence et un désordre comme si nous avions oublié d'enterrer une partie de la grand-mère. Personne n'en veut, de sa canne bleue.

Après l'enterrement, l'oncle Sacha offre un grand festin auquel tout le village est convié. Il a préparé, pendant les trois jours où le corps gisait sur la table du salon, les meilleurs plats pour apaiser l'âme de la défunte. Tout le monde sait que l'âme repose pendant quarante jours sur la lampe à l'huile, près de l'icône. L'eau-de-vie et le bon vin se mêlent aux éclats de rire qui, tard dans la nuit, accompagnent les retours à la maison. Tous sont complètement et absolument d'accord : ils n'ont jamais aussi bien mangé de toute leur vie.

Le grand-père pleure et ne dit rien.
Ma mère pleure et dit : *Maman !*
La tante pleure, se signe et dit : *Maman !*

Mon père dit : *Qu'elle repose en paix !*
L'oncle Sacha passe des petits verres à la ronde et ne dit rien.

Nous, les enfants, regardons du coin de l'œil la canne bleue en fer. Nous lui tournons le dos et fouillons fébrilement dans les poches du tablier froissé d'où dépasse, piteuse, la ficelle du sucre candi.

Mais l'oncle Sacha, lui, ne dit plus rien. Il s'en est allé chercher de l'eau à la rivière.

Le cimetière des abeilles

Nos pommiers en fleurs courent de la rue jusqu'au fond du jardin. Les ruches en enfilade suivent cette ligne parfumée et bourdonnante. Notre clôture et celle de nos voisins forment, au point de rencontre, un coin d'ombre, humide et secret.

C'est précisément là que chaque été, pendant les grandes vacances, je fais un cimetière pour mes abeilles.

J'en trouve souvent par terre, mortes d'épuisement, pendant la période la plus intense de la récolte. Elles ont beaucoup de bras en croix, les yeux fermés et des dards inoffensifs.

Je mets près d'elles des fleurs de camomille, une par tombe, et des croix en allumettes.

Je dispose dans les coins des trèfles à trois feuilles ; la chance ne peut plus rien pour mes abeilles. Je m'éloigne pour regarder le résultat. Très beau ! Le deuil devient émotion esthétique. Je tourne le dos à la cour, toute à ma passion secrète. J'ai même pris en cachette une cuillère à thé qui fait office de bêche pour creuser ces tombes minuscules.

Je trouve aussi des fourmis ; il y en a des rouges, des noires, et des mortes en transportant un œuf. Les mortes ont l'air déjà momifiées, déjà poussière.

Et il y en a, les plus rares, avec des ailes blanches translucides, plus longues que leur corps, comme des voiles de mariée devenus linceuls. Les fourmis à ailes sont une anomalie que je ne réussis pas à comprendre.

Mon frère abuse aussi des allumettes, mais ce n'est pas pour faire des croix. Lui, c'est un pyromane, je l'ai lu dans son livre d'histoire ; anciennement il s'appelait Néron. Mon frère met le feu à toutes sortes de choses. Parmi tout ce qu'il brûle, je préfère les fusées en papier d'aluminium chargés de dents de peigne en celluloïd. Des pinces à linge en bois forment les rampes de décollage.

On en place cinq ou six à la fois, bien alignées sur les toits en tôle des ruches. Et on met le feu. Quelle apothéose ! Juste avant la flamme, on se fait peur. Les fusées fument beaucoup et des étincelles égarées brûlent mains et cheveux. Des vestiges carbonisés de ces décollages gisent piteusement dans l'herbe, tout autour des ruches.

Chaque année, nos vacances d'été coûtent cher aux parents en allumettes, en peignes de celluloïd et en pinces à linge.

Je retourne souvent, dans la journée, à mon coin de cimetière.

J'y enterre tantôt une rare libellule, tantôt un scarabée.

Le scarabée me semble trop joli, je ne l'enterre pas. Voyons voir : une petite croix, une fleur de camomille, petite croix, camomille, petite croix, scarabée, petite croix, camomille. Le résultat est saisissant, ma foi !

Chaque été, au début des vacances, le cimetière des abeilles est à recommencer.

Œcuménique

Il se met à pleuvoir à grosses gouttes chaudes ; mes petits voisins arrivent en pleurant. Ils sont trois, deux filles et un garçon.

La grande sœur, Térésa, tient son petit chien noir dans ses bras ; il est mort, mais il est encore tout chaud et on peut voir un bout de langue rose qui pend.

Tous les parents sont au travail et la grand-mère est sourde. Nous, les enfants, sommes donc laissés à nous-mêmes avec un enterrement sur les bras.

Le seul garçon, Victor, cherche une bêche pour creuser une vraie tombe tout au fond de la cour, là où nous avons arraché trois planches à la clôture pour passer plus vite d'un jardin à l'autre. Nos activités secrètes se passent en deçà du regard des parents et à une autre vitesse.

Pour l'habit de circonstance, une serviette de cuisine et un médaillon avec une croix sont de mise pour mes petits voisins catholiques. Ils ont aussi des moignons de bougies, qu'ils allument.

Pour ma part, la cravate de mon père et sa Bible serrée sous mon bras me donnent la contenance que doit avoir, je crois, un ministre du culte protestant qui officie à un enterrement.

Nous nous asseyons par terre et déposons le corps du petit chien. Il nous faut discuter doctrine : un chien, plus qu'un chat ou une abeille, mais un peu moins qu'un homme, tout de même, doit posséder une âme immortelle. Mes petits voisins sont formels : à l'église, on répond au prêtre *et avec son âme*.

La plus jeune d'entre nous, Antoinetta, pleurniche tout le temps, et quand on discute âme elle se met à pleurer de plus belle. Elle n'est plus du tout sûre que le chien ait une âme. Mais qu'elle est bête !

L'année passée pourtant, quand j'ai enterré ma poupée au pied du noyer, elle m'a crue tout de suite quand je lui ai dit que ma poupée avait une âme. Un doute terrible me saisit : avait-elle en tête, à ce moment, une violation de sépulture ? Jamais je ne lui ai vu de poupée. L'année passée, Antoinetta a mangé avec les autres enfants les gâteaux et les bonbons offerts à la mémoire de la poupée. L'histoire nous le dit, les sucreries et les miroirs sont pour beaucoup dans la conversion des sauvages.

Nous commençons le service funèbre. Eux, ils font le signe de la croix, moi, je serre bien la Bible : *sola scriptura*. Mon père me l'a bien dit : faire le signe de la croix, de nos jours, c'est comme faire le signe de la chaise électrique. J'ai d'ailleurs essayé en cachette de faire le signe de la chaise électrique ; j'ai réussi en partie. Les chaises à l'envers, c'est déjà compliqué, mais électriques… Il paraît que du temps de Jésus, l'électricité n'existait pas, et alors les juges et les soldats mettaient les condamnés en croix et les laissaient mourir de faim et de soif. Pour s'assurer qu'ils étaient bel et bien morts, on leur piquait une lance dans le cœur.

Et si le chien n'était pas bel et bien mort ? S'il n'était qu'endormi ?

On arrête tout, on s'assoit de nouveau dans l'herbe et je leur explique : comme je ne suis pas du tout prête à croquer la patte du chien, il nous faut un miroir. Antoinetta, heureuse de se voir assigner une mission aussi importante, oublie de pleurnicher et s'en va chercher un miroir dans la maison. Mission périlleuse : la grand-mère est peut-être sourde, mais elle voit tout.

On attend un peu, le miroir arrive et on le met devant le museau du petit chien. On croit voir de la buée, un mouvement ; mais ce ne sont que nos respirations saccadées, nos mains moites et le vent. Il a l'air bel et bien mort, même très mort. Quelques mouches et quelques abeilles curieuses tourbillonnent dans l'air de plus en plus chaud.

Les bouts de chandelles ont fondu et nous procédons à l'enterrement. Nous avons tous très faim et un grand sentiment d'urgence nous anime. Nous sommes restés trop longtemps dans nos rôles de fossoyeurs.

Je chante un cantique d'espoir et de résurrection, mais le *Notre Père*, on le récite tous ensemble, à toute vitesse. Et pour en finir, deux petites branches en croix sur la tombe fraîche.

Chaque semaine, les parents continuent de nous mener à nos églises respectives, avec de courtes trêves à Noël et à Pâques, où nous nous rendons aussi un peu dans les autres églises, pour le bon voisinage. Les gâteaux de Pâques, les œufs rouges décorés, les rameaux de saule pleureur, l'agneau et les herbes amères s'échangent entre les parents par-dessus la clôture.

La clôture avouable, adulte et officielle, celle qu'on voit de la rue, porte sur une petite plaque émaillée, écrit en bleu et blanc, le numéro 63.

Casting

Dans le train qui nous emmène en vacances, père-mère-frère-sœur, je tâte souvent mon poignet pour voir si ma montre est toujours là. Elle est ronde, petite, dorée avec un bracelet en cuir verni gris clair. Je n'en ai jamais vu d'aussi belle. C'est le cadeau de mes parents pour mon premier prix avec couronne à la fin de mon année d'école. Mon père m'appelle *mon étudiante en lettres*. Les autres voyageurs ont l'air de beaucoup s'amuser, surtout les docteurs en physique des particules.

Le cuir des banquettes en première classe sent vaguement la cigarette. Sur le siège d'en face, un étudiant un peu ivre nous raconte comment, pour un pari entre amis, il a mangé huit œufs cuits dur. Il nous donne du chocolat et on joue aux cartes. Je le trouve séduisant et je suis heureuse d'avoir une montre-bracelet, comme une vraie demoiselle. Avec mon frère, nous avons décidé d'appeler l'étudiant *Huitœufs* et d'en faire notre ami : il va pour deux semaines dans la même station balnéaire que nous. Désormais, nous voyageons père-mère-frère-sœur-étudiant. Les parents laissent faire, se drapant dans leur attitude magnanime de vacances.

C'est un long voyage, et dans le bourdonnement des roues, tous les voyageurs somnolent. Je rêve trouble, j'ai soif et je me réveille en sursaut ; ma bosse sur le majeur de la main droite m'élance. C'est une bosse d'écriture et elle est toute bleue d'encre. On dit que la bosse d'un bossu porte chance. Je suis bossue du majeur droit pour avoir serré trop fort la plume : je voulais tellement, tellement former des lettres parfaites. J'ai souvent taché d'encre mes cahiers, l'encrier en vitre transporté dans le sac d'école se mettant à couler sans raison. J'ai beaucoup pleuré cette année, j'ai dû réécrire plusieurs de mes devoirs ; je voulais le premier prix avec couronne. La couronne : ronde, en feuilles de chêne, avec des boutons de rose tout autour. Et avec la couronne, des livres en cadeau : trois pour le premier prix, deux pour le deuxième et un seul pour le troisième prix. Quant aux mentions d'honneur, pas de livre du tout, mais un diplôme tout nu.

En jetant un coup d'œil sur les titres, avec la tête droite pour ne pas échapper la couronne, je me suis dit que j'avais perdu au change : un des livres s'appelait *Les poissons dans les arbres*, le deuxième *Des caramels au poivre*. J'ai bien cru qu'on se moquait de moi. De dépit, mon cœur battait dans ma bosse de doigt. Heureusement, le troisième livre s'intitulait *Les légendes de l'Olympe*.

Je tâte mon poignet : au moins, j'ai reçu de mes parents la montre-bracelet. C'est une valeur sûre.

Et c'est mon anniversaire dans deux jours ! Huit ans !

Le train siffle : on arrive à destination et nous avons tous très faim.

Mon frère s'est fait une petite amie qui m'intéresse beaucoup ; l'étudiant s'intéresse beaucoup à elle lui aussi, donc, avec mon frère, nous avons décidé qu'il ne serait plus notre ami. Nous préférons, et de loin, avoir une petite amie : elle a une tête de plus que mon frère, elle est blonde et elle a une valise pleine de bocaux et de plaquettes de polyvitamines. Ma préférée, c'est la vitamine C, que je croque et mange avec du pain blanc. La petite amie aux vitamines a aussi du chocolat et du sucre, et de la poudre de cacao. Dans sa chambre, en l'absence des parents, nous faisons des cornets en papier et nous mélangeons du sucre et du cacao ; par un trou pratiqué à la base du cornet, nous aspirons et nous léchons, par petites quantités, ce mélange, en nous étouffant souvent ; la poudre fine de cacao s'envole au moindre souffle et nous chatouille délicieusement la gorge.

L'après-midi, on se promène en famille dans le parc : mère-père-frère-sœur. Mon père y tient beaucoup.

Pour le reste, tout se déroule comme prévu à la distribution des rôles.

La fillette fait la fillette laissant les grands se débrouiller entre eux, comme d'habitude. Elle jette régulièrement un coup d'œil, pour savoir ce qu'ils attendent d'elle et guetter le moment opportun pour sa réplique.

Inventaire : les tresses bien en place, le sourire régulier, les chaussettes bien tirées.

La mère, qui n'est plus obligée de cuisiner, fait la mère en vacances et s'absorbe dans la lecture et le tricot. Comme activité de vacances, elle fait aussi dans l'intrigue avec les femmes des autres couples rencontrés au restaurant ou dans les allées de l'unique parc de la ville. Le grand frère fait le grand frère en évitant autant que faire se peut la présence du père, qui, lui, fait le père en vacances, mais pas encore le père joyeux. Il commence, par contre, à acheter des cornets de crème glacée, entorse à ses habitudes de frugalité et signe d'un grand tourment : les vrais pères en achètent-ils ?

Il faut s'en tenir aux rôles. Le père y tient. Tard le soir, après le concert donné par la fanfare dans le kiosque en bois ouvragé du parc, les portes de l'hôtel se ferment sur les familles en vacances. Nous sommes au deuxième.

Mais juste avant le sommeil, une clameur souterraine, un grondement, fait vibrer tout l'étage et alerte tout le monde. Le père descend par l'escalier de service, en pyjama, et se retrouve parmi un groupe d'hommes, une vingtaine, en pyjama eux aussi, agglutinés devant le poste de radio de la réception de l'hôtel. Les femmes en chemise de nuit, dans les chambres, attendent le retour des hommes avec les nouvelles. Personne ne fait attention aux enfants.

À l'heure qui n'existe pas, l'heure des grands, frappée de stupeur, je regarde ce groupe de messieurs en pyjama, dont mon père. Ils sont tous vêtus de façon identique et ils écoutent la radio identiquement silencieux.

Radio Europa Liberă émet son communiqué : les Russes sont entrés dans Prague. Les pyjamas discutent des conséquences possibles de cette nouvelle extraordinaire. Nous serons les suivants ! Rester sur place ou rentrer tout de suite à la maison ? Acheter des biscuits et des conserves ! Se barricader…

Personne ne fait attention aux enfants. L'univers se détraque. À l'heure qui n'existe pas, des messieurs en pyjama, dont mon père, offrent un spectacle scandaleux.

Je touche avec ferveur ma bosse d'encre, la main droite cachée dans la poche de ma robe de chambre ; les bosses des bossus portent chance, je fais le vœu du retour à l'ordre.

Cachée dans le coin de l'escalier, je prie en vue plongeante et j'invoque le retour aux rôles. Pas de papier buvard pour l'histoire. Le lendemain, à l'aube, valises en main et retour à la maison. C'est que les pyjamas ont décidé que nous serions les suivants, forcément. Les femmes ont plié bagage sur des vacances inachevées. Demain, c'est ma fête. Huit ans ! Dans le train, au retour, nous voyageons père-mère-frère-sœur ; et tous les autres.

L'étudiant dit au revoir et quitte le compartiment du train. Personne ne rit, personne ne parle. Que trouverons-nous à la maison ? C'est encore les vacances !

Je tâte mon poignet pour vérifier si ma montre-bracelet est toujours là. Le frère regarde furtivement le papier avec l'adresse de la petite amie aux vitamines. La mère reprend nerveusement ses aiguilles à tricoter, mais elle se trompe souvent et doit recommencer.

Le père a repris son costume et ses esprits, les catégories ont repris leur place et les rôles ont été définitivement distribués.

Je n'ai plus jamais vu d'homme étranger en pyjama. Ni mon père, d'ailleurs.

La montre de mon père, les tapis muraux de ma mère

Les marins au long cours sont parmi les privilégiés qui peuvent sortir du pays. Ils en profitent pour faire du marché noir et s'enrichir. *Navigatori* évoque pour nous la richesse et les voyages. Ils ont de belles maisons au bord de la mer Noire et leurs femmes vivent luxueusement, en s'occupant de la maison et des enfants, à condition d'attendre en veuves blanches le retour du mari qui navigue par monts et par vaux six mois, voire un an.

Ils vendent des *blugi* (blue-jeans), des vitamines, des montres et des bandes dessinées. Mon père leur a acheté une montre de poignet de marque Atlantique. Le cadran est bleu nuit et les aiguilles dorées.

Tous les cadrans des montres que j'ai vues avant étaient blancs ; celui-ci, bleu nuit, me semble subversif, chargé d'une signification souterraine, mystérieuse, un tunnel qui peut nous laisser passer à l'étranger, en dessous des frontières, ni vu ni connu.

Je rêve d'évasion, j'ai 12 ans.

Les *navigatori* vendent aussi des robes de mariée *comme à Paris*, du café et des tapis dits persans.

Des tapisseries, ma mère en a deux, clouées aux murs des chambres à coucher. La première représente *L'enlèvement des Sabines* ; elles portent des vêtements d'époque et ne sont pas du tout effarouchées.

La deuxième tapisserie, une *Nuit à Venise*, cliché tissé avec le canotier d'un gondolier au premier plan.

À l'arrière-plan, des couples masqués dansent, flirtent. Du moins, les accessoires le laissent entendre : masques, loups, mandolines, éventails.

Des heures de contemplation de ces images choquantes et sensuelles, tout au long de l'enfance. On ne contrôle pas toujours ce qui passe les douanes. J'ai entendu ma mère dire à une voisine qu'en réalité elle avait commandé une reproduction de *La Cène*.

Il fallait être à la mode, elle a pris ce qu'elle a trouvé.

Le temps passe et nous apporte des cocasseries dues à l'appropriation de l'objet. Ma mère de dire : *J'ai rafraîchi les Sabines, j'ai aéré la nuit à Venise* ou, mieux, *la lagune est un peu mangée par les mites*. Je n'ose même pas imaginer ce que ç'aurait donné au sujet de Jésus et des apôtres.

Les franges en soie de ces tapisseries ont été frappées par une calvitie terrible des suites des jeux d'enfants.

On noue les fils puis on les retire doucement. J'aime la sensation du glissement de la soie et celle de l'interdit. Le frisson de la punition attendue. Le frisson, aussi, de ne pas être découverte. Avec le temps, l'enlèvement des Sabines prend l'air d'un œil sans cils, ce qui fait dire à la mère, pas du tout au courant de nos méfaits : *Où sont les tapisseries d'antan ?*

Femme d'action, elle ne se laisse pas démonter, mais confectionne des franges en laine, solides, qu'elle coud tout autour de la tapisserie : les Sabines ne sont plus seulement habillées, mais emmitouflées.

Les franges de la nuit à Venise, par contre, se sont avérées inamovibles. De longues heures de contemplation devant cette image *din Strainatate*, de l'étranger, *d'en dehors*.

La mode lancée, des reproductions cousues main, au petit point, pullulent. Les dessinateurs et les tisserands de ces tapisseries n'ont de toute évidence jamais vu Venise, mais des cartes postales, elles-mêmes reproduites d'après des dessins et des cartes postales.

Après un travail d'aiguille de deux ans et demi, une caricature d'une caricature d'une idée de Venise couvre le mur occidental de la chambre à coucher.

Nous sommes les seuls de tout le village à avoir deux Venise.

Savon de campagne

Je ferme la porte. Je n'allume pas. L'eau glacée coule dans le lavabo, j'attrape le gros savon de campagne. Il est lourd, il est gris et il colle aux mains, laissant des traces sur le tissu mouillé.

Le sang et l'urine de ma mère. Je lave, je frotte et j'ai les doigts de plus en plus glacés. Enlever le sang et l'urine de ma mère.

Elle est ivre, ma mère. Elle se couche toute recroquevillée sur le matelas en laine, n'allume pas, ne parle pas. Et comme les tout-petits, elle serre fortement les paupières, jusqu'au spasme, jusqu'au blanc. Elle serre les paupières, pour que le monde disparaisse. Prière : *Faites que tout ça ne soit qu'un rêve, je compte jusqu'à trois.*

Elle est ivre, ma mère, elle souffre, et à ce moment précis je commence à l'aimer.

Le froid me pénètre jusqu'aux os, me monte le long des bras ; je frotte, je lave, j'avale, j'étouffe ; le sang et l'urine de ma mère me montent à la tête. Mais je lave, je frotte, je rince, je déchire. Il n'est pas question que quelqu'un d'autre voie son sang, son ivresse ; ni le père, ni le frère, ni les voisins, ni la mère elle-même.

Ni la mère elle-même ; elle ne le supporterait pas.

Le savon colle à la petite culotte, à la jupe ; l'eau glacée fixe les taches, ma rétine enregistre et lave.

Demain matin, nulle trace de savon, ni d'ivresse. Ses vêtements bien pliés sur la chaise (ah, les froisser légèrement, sinon elle s'en rendra compte). Je frotte, je lave, dans la noirceur humide.

Le sang et l'urine de ma mère – ce n'était que ça ?

L'avenir radieux

La directrice de l'école est une dame très bien mise, qui nous donne l'impression de dormir debout, toute habillée et coiffée, tellement sa coiffure est figée.

Un seul cheveu qui dépasse nous l'aurait rendue sympathique. Marchant derrière elle dans les couloirs de l'école, les plus hardis soufflent de toutes leurs forces pour voir sa coiffure bouger.

La directrice de l'école arrive dans la classe : *Vous savez, les enfants, si vos parents ou vos voisins disent du mal de camarade Ceausescu, il faut venir nous le dire. C'est votre devoir de pionnier. Rien ne doit empêcher la marche glorieuse du pays, vers votre avenir, les enfants. Votre avenir radieux.*

Nous avons 12 ans et ça fait tout juste deux semaines que, dans chacune des classes, on a installé des interphones ; officiellement, pour que la direction de l'école puisse transmettre des messages d'intérêt général. Pourtant, personne n'est dupe. La direction et la police secrète écoutent régulièrement ce qui se dit dans les classes.

Professeurs et élèves, conscience au garde-à-vous !

Pour marcher vers l'avenir glorieux et confondre nos ennemis en titre, les capitalistes, et nos demi-ennemis, les autres pays socialistes, il nous faut créer *l'homme nouveau*. Pour ce faire, nous nous devons d'être parfaits, malléables et transparents. Pendant les assemblées du détachement de pionniers, de l'union des jeunesses communistes, du Parti, il faut être aux aguets. Pas besoin de spécifier le nom du parti : il n'y a qu'un parti politique légal, le Parti communiste.

Il faut aussi se dénoncer soi-même, de temps à autre. Ça s'appelle *faire son autocritique*.

Oui, camarades, j'ai lu des livres interdits, j'ai négligé mes devoirs de citoyen.

Oui, j'ai un oncle en Occident. Autrement, j'ai des racines saines. Ni juifs ni gitans, mes grands-parents ont fait la guerre. J'ai de saines origines.

Si je vais à l'église ?
Ma religion est-elle importée d'Amérique ?

Oui, je promets de m'amender.

C'est le temps glorieux où le Grand Timonier dirige un pays déboussolé. Il accapare la seule demi-heure d'antenne, sur la seule chaîne de télévision. On le regarde de temps à autre, pour savoir s'il y a du nouveau, s'il n'a pas l'air un peu affaibli, un peu malade, ou pour savoir au plus tôt quel autre malheur nous tombera sur la tête.

La nuit, nous sortons le transistor de son tiroir et prenons des nouvelles de nous-mêmes via des stations de radio établies à l'étranger. Ceux qui ont profité des congrès du Parti hors des frontières pour faire défection, et qui ont dû changer de visage et de biographie, des transfuges, nous disent sur Radio Europa Liberă ou sur Vocea Americii ce qui se passe dans notre pays.

L'accident nucléaire de Tchernobyl, nous l'apprenons par là ; alors que nous sommes juste à côté, à la frontière. À l'église, un ingénieur parmi nos amis a apporté un compteur Geiger pour mesurer les radiations : dans le fromage feta (*telemea*) et dans les tomates, l'appareil montre des niveaux de radiations qui auraient pu nous tuer cent fois.

Des mois après, en mai, des mesures sont prises par l'État pour lutter contre les radiations : on distribue des pilules d'iode ; il faut rester à l'intérieur, hommes et bêtes, dès que des nuages de pluie se profilent à l'horizon.

Nouveaux sujets, nouvelles blagues dites politiques. Des blagues savoureuses. C'est ainsi que l'humour retarde les révolutions.

À quatre mains

J'arrive de l'école, c'est le printemps. Devant la maison, un camion de déménagement, celui-là même qu'on utilise pour les enterrements. Il est gris et bleu aujourd'hui, mais les gens de la mairie le drapent de tissu noir pour le louer aux familles endeuillées. Je l'ai vu souvent en noir, couronnes funéraires et encens.

Mon cœur s'affole... Uuun-deux ! Uuun-deux !

Du camion est descendu par les déménageurs, sous les regards ébahis des voisins agglutinés aux clôtures, un grand piano à queue. C'est l'acquisition de la mère, qui n'a pas d'oreille mais a beaucoup d'ambition pour ses enfants : les pédales en cuivre du piano sont le ressort nécessaire à leur ascension sociale.

Il est grand, lourd, démesuré ; ses pieds s'enfoncent dans le plancher pourri d'avoir été peint prématurément, en bourgogne, par la mère.

Des lettres nacrées, incrustées dans le couvercle bombé du clavier, forment un nom : *Nemetschke in Wien*.

Je tourne longtemps, fascinée, autour de cet intrus, bête insolite dans le décor conventionnel. Je fais mine de partir et me retourne brusquement pour le surprendre : sait-on jamais ?

Je le montre du doigt à mon frère, n'osant pas parler. Le piano résonne quand on parle fort ou quand on chante, mais reste impassible la plupart du temps, de bois et de bronze, fier prisonnier de notre plancher.

Pendant la nuit, endormie, tout est bien comme avant.

Mais le matin, au réveil, il est toujours là, et le soir au coucher aussi. Il faudra s'y faire.

La mère frotte plancher et piano chaque mardi et chaque jeudi avec une foi aveugle ; ses enfants brilleront en société. Elle ne manque jamais, non plus, en faisant son marché, de parler des leçons de piano de ses enfants ; les œufs qu'elle achète sont plus beaux, les fines herbes plus parfumées, et les champignons lui lèvent leurs chapeaux avec distinction.

Les mardis et les jeudis, jours des leçons de piano, ont maintenant une saveur particulière. Il faut se couper les ongles court-court, se laver les oreilles et ne pas manger d'ail.

On joue, on s'apprivoise : le piano est tour à tour une maison, un bateau, une cachette.

Mes bonbons ! Mon argent ! À genoux, vite, se glisser en dessous du piano et chercher les trésors dans la structure en bois.

Ouf ! Tout est là, bien à sa place.

Le frère cache aussi ses trésors dans les entrailles poussiéreuses du piano. On tombe souvent sur les trésors de l'autre, mais on ne laisse rien transparaître.

Madame Hantellman donne des leçons de piano et de la liqueur d'orange en hiver aux enfants qui la font vivre, ses petits élèves. Pendant de longues années, c'est le seul alcool connu et notre petit secret.

Sa maison sent bon la lavande, le café et le piano chauffé… mais à son piano, pas de queue.

Dans le minuscule hall d'entrée, les bottines et les parapluies des élèves qui arrivent côtoient pendant un court moment les souliers et les parapluies des élèves qui partent, un peu plus savants, les joues en flammes ; émotion artistique.

Madame Hantellman, Juive allemande restée au pays après la guerre, a une touche unique et un esprit démocratique : elle prend avec une égale magnanimité l'argent de tous les parents.

En échange, ils sont condamnés à écouter la même pièce, longuement répétée à la maison et rejouée à satiété devant les invités.

Les parents des enfants qui ne progressent pas se font tout de même inculquer à prix fort une légère culture musicale et un solide snobisme de province.

Aujourd'hui, c'est de la gomme à mâcher que j'ai cachée dans le piano ; le frère y a caché un billet doux. Il a trouvé ma gomme, l'a mâchouillée un peu et l'a remise dans son emballage (il n'a pas aimé la saveur).

Moi, j'ai trouvé le billet doux, je l'ai lu, je l'ai plié soigneusement et remis à sa place ; je n'ai pas, moi non plus, aimé la saveur un peu fade de la fille qui lui avait écrit.

Le piano à queue… Avoir un piano, déjà ! Mais à queue… Plus longue la queue, plus infatués les enfants.

*

Dans la journée qui décline, nouvelle leçon de piano, celle du jeudi.

Le métronome, bête remuante dans le décor austère.

Un, deux, trois ! Un, deux, trois ! La paume arrondie sur une balle imaginaire se laisse gagner par une crampe. La baguette en noisetier de Madame Hantellman soutient les poignets et s'abat sans avertissement sur les doigts oublieux et indociles.

Après une courte syncope, enfant et métronome se remettent en marche ; vite, plus vite ! Qu'on en finisse ; un-deux-trois, un-deux-trois ! Le regard louche entre partition et baguette en noisetier.

La mère n'a pas d'oreille, mais a beaucoup d'ambition pour ses enfants. Elle tricote des housses pour le banc du piano, achète des bougies rococo et astique avec ardeur, chaque mardi et chaque jeudi, le piano et le plancher en bois. Elle peint en trompe-l'œil les trous du plancher autour du piano qui, lourd, démesuré, n'aspire qu'à reposer directement sur la terre battue.

Je répète longuement la partition pour la main gauche et avec désespoir la partition pour la main droite. Je joue rarement les deux à la fois.

Hautain, un peu distrait, le père écoute de loin ces efforts sans grâce : enfant, il a joué du piano et considère les leçons et les exercices du même œil que les maladies obligatoires de l'enfance. Comme pour les vaccins, et pour ne pas être accusé de négligence criminelle par la mère, il paie consciencieusement les leçons.

Main gauche, main droite. Le frère joue bien et sans trop d'états d'âme. Les partitions sont choisies avec soin. Il joue aussi à l'église, pour accompagner l'assemblée.

Lui des deux mains, moi d'une, nous apprenons *La marche de l'âne*. Une pièce amusante pour les éclopés des leçons de piano, à trois mains.

Les partitions et les méthodes de piano en pile me regardent avec des reproches écornés. Czerny, Hummel, *Carl Czerny op. 529*, *Carl Czerny op. 841*, *Cahiers pour Ana Magdalena Bach*.

Un, deux, trois ! Un, deux, trois ! Le métronome fait des castagnettes dans la journée qui décline.
Un, deux, trois ! Un, deux, trois !

Décidément, il m'impressionne, ce piano. Grand, avec des secrets bien à lui. Je lui fais des offrandes : en automne, des paniers de pommes et de chrysanthèmes, en hiver des poires, des pommes et des coings. Au printemps, des branches entières de lilas, des branches fleuries de pommier.

Curieusement, le père ne dit rien de ce massacre.

Le frère, distant, ne met plus rien dans le piano. Il a reçu un portefeuille en cuir pour ses 15 ans et il s'est mis à la peinture.

Il écoute de loin, d'une oreille distraite, un peu méprisant. Le piano est pour lui un ennui dépassé, mais il apporte gentiment de nouvelles partitions.

Les partitions en pile me regardent de haut, de plus en plus haut, avec reproche. Czerny, Hummel, Diabelli et ses *Sonatines*, J. S. Bach, *Préludes et fugues* et *Le clavecin bien tempéré*.

Un, deux ! Un, deux ! Le métronome fait des siennes dans la journée qui décline.

Toujours pas de grands progrès du côté pianistique, mais adolescence cabotine. Et puis, je lui dois bien ça, à la mère. Justifier l'achat du piano, éponger les dépenses et entretenir sa vision lumineuse : ses enfants, impeccables, entourés de personnes exquises, bien habillées et bien éduquées qui savent toutes jouer du piano. Chaque leçon de piano est pour elle une nouvelle allumette qui entretient la vision.

La mère tricote des foulards et des bérets artistiques, des gants dans le style *charmante jeune fille au piano et béret.*

Comme un vieux mari amoureux et impuissant, j'offre à l'instrument, de temps à autre, des pianistes accomplis. Il vibre, il sonne, il résonne et ils jouissent ensemble sous mes yeux jaloux ; moi, je passe à la ronde du café, du sorbet et de la confiture.

Je grandis. Le père paie les leçons, la mère frotte le parquet, et moi, moi, j'écoute les grands pianistes.

Le frère, par défi, est passé à la sculpture et à la médecine. Et apporte de loin en loin une partition, un disque. De loin en loin aussi, une fille qui joue du piano. Je passe bien sagement le café, le sorbet et l'éponge.

Pendant les vacances de printemps, il cloue la cousine sur le couvercle du piano : chacun ses trophées, chacun ses offrandes.

Madame Hantellman ne donne plus de leçons ni de liqueur d'orange aux enfants. Elle a perdu son mari, sa maison sent la cire d'abeille, les cierges. Elle sent aussi le camphre et la solitude.

Un mardi de printemps, elle vient en visite à la maison et joue avec bonheur sur mon piano. Il est maintenant légitime.

De temps à autre, les cordes distendues, le piano perd sa voix et l'accordeur s'occupe de lui en échange de quelques bons repas.

Je me glisse en dessous du piano et la musique me pénètre voluptueusement.

*

Je répète longuement la partition pour la main gauche et avec désespoir la partition pour la main droite. Je ne peux pas jouer les deux à la fois.

Le frère, ennuyé, a plié bagage et quitté le pays. Il s'est mis à l'archéologie et au deltaplane. Il envoie de temps à autre des enregistrements célèbres, des vitamines et du chocolat.

Mes petits voisins s'assoient tout naturellement sur la pile de partitions (leurs pieds ne touchent pas à terre) et ils jouent merveilleusement bien, à l'oreille. Ils sont cinq, sales, un peu sauvages. Mais ils jouent tous comme des dieux et demandent à manger.

*

Quelques années plus tard, le soir, j'arrive de voyage, c'est l'automne. Devant la maison, le camion de déménagement, le même que pour les enterrements. Mon cœur s'affole… Uuun-deux ! Uuun-deux !

Je dépose ma valise. Cette fois-ci, pas de voisins curieux aux clôtures : ils dorment ; ils sont morts ; ils en ont vu d'autres.

Le piano à queue, vendu par la mère qui n'a pas d'oreille, est hissé dans le camion, dans un effort ultime des déménageurs. Tout y est : les pédales en cuivre (qui gardent un peu de la peinture ensanglantée du plancher), le banc, mon enfance, les partitions, les trous dans le plancher, l'oreille de ma mère, l'ascension sociale, les bougies, les gants et le béret.

À la guerre comme à la guerre !

RÉPÉTITION GÉNÉRALE

Sous-titrage

Le poste-frontière est enseveli sous la neige. L'air dans le compartiment se fait de plus en plus froid. Dans le silence obligatoire, les buées des respirations se mélangent tandis que les bancs et les plafonds démantibulés par des soldats montrent leurs entrailles. Il paraît que quelqu'un a essayé d'y cacher quelque chose pour le vendre chez les Russes. En silence, les fesses se serrent sur des rouleaux de roubles en papier, glissés dans des doigts de gants de chirurgie. Il paraît aussi que quelqu'un a essayé de passer clandestinement la frontière et qu'il en est mort. Ou morte. Ou mort et morte ; les rumeurs sont partagées.

Les voyageurs terrorisés, même les vieux, même les enfants, même les malades et les femmes enceintes, attendent la Fouille. Il paraît que la dernière fois…

*

Ailleurs, dans le livre de géographie, les peaux se bronzent, se passent un sucre, changent d'odeur. Les yeux foncent et s'allongent comme pendant l'amour.

À la frontière perméable d'un seul côté, rendue perméable par la traîtrise d'un seul d'entre nous, des seins nus poussent la limite orientale de nos désirs. Sans papiers, on se prostitue à la frontière.

L'oreille se fait bavarde.

De coutume, les filles de l'Est s'étalent pleine page et excitent des envies d'exotisme en Occident, entre le journal du soir et le souper. Dans la besace de Kundera, elles se fanent, transfuges de leur propre langue, usées par des traductions successives.

Pour la Pléiade, Kundera s'est mis à se traduire lui-même, a changé de jaquette et arbore sa plus belle cravate.

Qu'est-ce qu'ils ont tous à vouloir s'enfermer dans la Pléiade ?

*

On dit qu'au-dehors on peut acheter tout ce qu'on veut, que les étalages débordent de victuailles, que chaque personne possède une voiture. À l'Ouest, on peut crier en pleine rue *À bas les…*

Chut ! Il semble qu'ils peuvent nous entendre. À la frontière perméable d'un seul côté, rendue perméable par la traîtrise d'un seul d'entre nous, des seins nus poussent la porte. Il paraît qu'à Amsterdam des putains nagent dans les vitrines.

La buée, dans le silence obligatoire, se fait bavarde. On dit qu'à Paris Brancusi a vécu toute sa vie dans une impasse, après un Baiser contre Baiser avec Rodin. Pour s'y rendre, sans argent, il a fait tout le chemin à pied. Une fois arrivé, il y a établi son atelier et s'est assoupi. De là, ils ont transféré l'atelier au Centre Pompidou et les restes au cimetière de Montparnasse.

Qu'est-ce qu'ils ont tous à vouloir être enterrés au Père-Lachaise ou au Montparnasse ?

*

La Dame qui a voyagé nous dit qu'au-dehors, pendant un congrès des jeunesses communistes, elle a pu trouver du lait en poudre, de l'aspirine Bayer, du chocolat et du café, et que personne ne faisait la file. Après cette vision paradisiaque, elle est tout de même rentrée au pays. Elle ne pouvait pas abandonner les tombes.

On serre les fesses pour vérifier si les roubles sont bien en place. Pendant le voyage de retour, c'est dans les tubes de pâte dentifrice que l'or se cache le mieux : on défait le fond du tube, on enlève une quantité raisonnable de dentifrice, on introduit les bagues en or, on refait le fond du tube en roulant le métal; ensuite, on le cabosse légèrement. Avec un peu de chance, les détecteurs de métal des douanes laissent passer. Arrivé au pays, où les alliances sont vendues en priorité aux ouvriers méritants, on fait notre joli commerce. Les amoureux veulent se marier et, comme aucune fille ne veut se marier sans alliance, ils payent.

À la frontière perméable d'un seul côté, Ionesco, pour faire diversion, lâche ses rhinocéros qui piétinent furieusement la terre. Une fois arrivé sain et sauf de l'autre côté, il se met à écrire dans un français absurde et à rouler ses *r*. Les immortels, déstabilisés par quelqu'un qui se permet de leur faire la leçon, lui offrent un fauteuil : le numéro 6. Et pour l'occasion, Ionesco a bien dû mettre un habit brodé, peigner ses *r*, nettoyer ses lunettes et rendre hommage à celui qui lui a libéré une chaise ; peu de temps après, il a déménagé au Montparnasse, où il se retourne dans sa tombe chaque fois qu'il se rappelle que l'Autre y repose aussi pour une petite éternité, en attendant Godot.

Qu'est-ce qu'ils ont tous à vouloir s'asseoir à l'Académie et être joués au théâtre de la Huchette ?

*

Dans le manuel d'histoire, à la limite orientale de nos désirs, Georges Enesco, son archet cabré, manchon en lapin, violon sous le bras et passeport en main, enjambe la frontière.

Il laisse Lipatti au pays, il le laisse pour mort et se dirige vers les acclamations, vers son amour impossible et vers son journal écrit en français.

Enesco fonce vers le Père-Lachaise, via l'Amérique, fatigué par les concerts et par les guerres avec, en filigrane, son enfance moldave, au paysage passé à la pierre ponce.

Sa *Rhapsodie roumaine* en fait rentrer quelques-uns au pays, fragilisant encore la frontière par des traîtrises à l'envers.

Au cours boursier des artistes, pour la postérité naissante, Georges Enesco est Maître, Monsieur, Maestro, enfant prodige, génie, *one of a kind*, grand bouleversement dans le monde musical. On vend ses violons, on crée des bourses à son nom, on réclame son corps à la France.

Petit, à la maison, on l'appelait Jourjack.

Un café à l'ambassade

Convocation pour une entrevue à l'ambassade canadienne de Bucarest.

C'est le printemps ! Après le muguet et le lilas, le temps du passeport approche.

Le temps des cerises aussi.

Habillée de mes vêtements pour l'Occident, comme ceux qui empruntent et dépensent sur le prochain salaire, habillée à crédit, je passe une nuit d'insomnie, neuf heures dans le train. Je me fais regarder, avec mon élégance incongrue dans un train de nuit.

Voyager de nuit me permet de ne pas me séparer trop longtemps de l'enfant et d'arriver à l'heure de l'ouverture de l'ambassade. Selon la coutume, un paquet de café dans mon sac de voyage ; on peut les amadouer, les rendre bienveillants.

Dans la file d'attente, dans la rue, à l'extérieur de l'ambassade, un cordon de soldats roumains armés, visiblement armés.

Ils fouillent nos sacs et trouvent, dans le mien, du café. *Pour quoi faire, Madame ?*

Madame ? Plus de *camarade*, je me sens déjà un peu sortir du rang. Les oreilles me démangent.

J'ai acheté du café pour moi, pour le boire. (Première règle du survivant : ne jamais avouer la vérité – avouer, oui, mais toujours un peu à côté.)

Voyons donc, Madame ! Les coins du paquet de café sont usés, le sac est déjà passé de main en main. Les soldats roumains de l'ambassade, formation spéciale et vivant au pays, savent. *Madame, nous allons nous couvrir de ridicule devant les Canadiens.*

Honte ! Joie !

Ça existe ? État de droit. Je sens avoir un peu foulé la terre de l'Occident.

Le café confisqué par le soldat avant mon rendez-vous m'est redonné.

Comme quoi lui non plus ne reçoit pas de pots-de-vin. De retour dans le train, cinq heures en accéléré (*tren accelerat*), je suis riche du café pas donné, du café non nécessaire, *les employés de l'ambassade ont leur salaire, Madame*, un renversement logique avec ses trésors de possibilités pointe dans mes pensées.

Une fois arrivée à la maison, je redonne le café à ma mère. Elle ouvre le paquet, prend les grains et les rôtit un peu au four en les aspergeant de rhum.

Elle moud le café, met l'eau, le café et le sucre dans un *ibric*[1]. Fait bouillir.

---

1. L'*ibric* est une cafetière pour préparer du café turc, ou grec, ou, pour les puristes, du café espresso.
Pour obtenir le meilleur café du monde :
Ingrédients :
2 cuillerées à café pleines de café moulu et 1 cuillerée de sucre par tasse d'eau.
Quand l'eau bout, retirer l'*ibric* du feu, ajouter le café, pour obtenir une mousse. Remettre au-dessus de la flamme, sans déposer.

Sort de la vitrine les petites tasses pour les occasions spéciales, pour les invités.

Nous nous versons du café brûlant, parfumé, sucré. Et nous nous mettons à rire : *Maman, on prend notre café à l'ambassade !*

Fine manipulation :

Laisser l'*ibric* deux-trois minutes pour que le marc du café se dépose au fond.

Verser dans de minuscules tasses, jolies, jolies.

Dégustation :

Boire par petites gorgées.

Tour divinatoire :

À la toute fin, renverser les tasses et lire l'avenir : les prévisions météo et financières, les mariages, les trahisons, les décès et parfois même les guerres.

Morale :

Sans café divinatoire, les personnes qui se sont mises au régime n'ont jamais su pour la chute du Mur.

La boîte à boutons

Depuis que les gens de mon entourage savent que je vais quitter le pays, ils me traitent avec la déférence et l'œil distant qu'on garde pour ceux qui ne sont plus tout à fait ici, un peu comme pour les malades en phase terminale.

Je tiens à ce qu'on me traite comme appartenant encore, comme une vivante. C'est avec l'idée du départ que s'installe pour la première fois, devant mes yeux, un voile de lumière.

Pendant que je suis à Bucarest, pour quérir le passeport, ma mère en profite pour faire le grand nettoyage du printemps. Elle déterre et déplace mon lilas blanc. La chambre, avec ses deux valises défaites, indécises et jamais prêtes, est très propre à mon retour.

Ma mère m'a enterrée déjà ! Deuil à l'envers. J'en suis inconsolable.

Avec le passeport en poche, mon premier à vie, je commence la tournée des adieux. Au lieu d'apporter des fleurs, je montre le passeport à tous ceux qui n'en avaient jamais vu. J'ai 28 ans, l'enfant en a 3.

Je vais aussi dans la famille d'un policier de la Securitate, nos grands persécuteurs. À mon vif étonnement, le père de famille me dit de ne pas oublier le pays et de lui faire honneur à l'étranger. Je me garde bien de lui montrer le passeport. Leur fils est un ami d'enfance.

Je demande à regarder dans leur boîte à boutons, comme je le fais chez chacun de ceux que je visite. Les boîtes à boutons contiennent de vrais trésors.

D'abord, la boîte elle-même est une ancienne boîte de bonbons en chocolat, ou une boîte en métal, une boîte de halva avec des rayures rouges et dorées.

Mais surtout, dans la boîte : des boucles d'oreilles dépareillées, des boutons anciens, des boutons contemporains, des bijoux qui, en perdant leurs pierres incrustées, sont devenus borgnes, des *martisoare* d'autrefois.

Les *martisoare* – ou « petits mars » –, ce sont de petits bijoux en plastique ou en métal, accrochés à un fil blanc et rouge.

On s'en fait cadeau le 1er mars de chaque année, pour fêter l'arrivée du printemps. Les femmes, les hommes et les enfants les portent épinglés au revers de leur manteau pendant tout le mois de mars.

De tout ce qui peut se trouver dans les boîtes à boutons, mes trouvailles préférées sont les médailles et les insignes du temps où on était pionniers (entre l'âge de 10 et de 14 ans, ensuite c'étaient les jeunesses communistes).

Certains de mes collègues en avaient plein l'épaule et l'avant de la chemise de leur uniforme : de vrais petits généraux, médaillés pour la discipline, pour avoir planté le plus d'arbres, pour avoir eu 10/10 pendant toute une année scolaire, pour avoir remporté le premier prix à l'olympiade régionale ou nationale de mathématiques, de littérature ou de chimie, pour avoir été les premiers lors des championnats sportifs, pour avoir obtenu d'excellents résultats au camp d'entraînement prémilitaire.

Moi, j'étais le porte-drapeau du détachement de pionniers et je prenais ma mission très au sérieux. Jamais drapeau n'a été si souvent lavé et repassé que pendant mon mandat.

Pour l'entraînement prémilitaire, j'ai été commandante de peloton. Je me suis déboîté l'épaule pendant les exercices de tir et je me suis fait détester par les camarades pour mon ardeur au travail.

Oui, je prenais tout ça très au sérieux et j'étais prête à défendre mon pays ; dans l'imaginaire collectif, les Russes étaient toujours à nos portes depuis leur entrée en Tchécoslovaquie. Et à vrai dire, entre l'imaginaire et le réel, seulement quelques kilomètres de distance et quelques ordres à donner.

Là, je savais dans quelle langue se donnaient les ordres : j'ai étudié le russe pendant quatre ans, au lycée.

J'avais opté pour des cours d'anglais et on m'a imposé le russe.

Pas étonnant, d'ailleurs : depuis la fin de la Seconde Guerre mondiale, les Roumains attendent les Américains ; les seuls qui sont venus sont les Russes. Ils ont même voulu revenir en 1968.

Après l'invasion de la Tchécoslovaquie, la menace russe a été le moment de gloire de Ceausescu. Il a fait appel à l'indépendance et à la souveraineté politique, à la non-intervention dans les affaires internes des pays.

L'Occident en a fait un héros et un allié contre les Soviétiques ; pour le peuple, à l'intérieur des frontières fermées du pays, plus de salut possible. Dans un premier temps, le nationalisme en a fait un héros aussi. Ensuite, aucune limite à la tyrannie, aucune barrière.

Au camp d'entraînement prémilitaire, les garçons et les filles étaient logés séparément. On nous mettait, à notre insu, du bromure dans le thé matinal pour endormir nos pulsions et pour éviter ainsi des rencontres amoureuses entre les deux groupes. Ici, pour les ordres comme pour l'amour, la langue était la même, nuit et jour.

Sur la surface du thé, une pellicule un peu huileuse trahissait la présence du bromure.

Forte de l'information donnée par le frère, qui avait déjà fait son service militaire et bu de nombreux thés bromurés, je me suis fait une petite gloire en infusant à tout le monde le secret du thé ; sur ce, j'ai organisé une soirée dansante.

Jamais uniforme d'entraînement ne fut aussi souvent lavé et repassé, ni bottes militaires aussi lustrées que pendant mon camp d'été prémilitaire.

J'avais 14 ans et j'ai apporté à mon école le Diplôme de mérite du Comité central de l'Union des jeunesses communistes. Mon père l'a fait encadrer à ses frais et la directrice de l'école l'a accroché sur le mur du couloir, près de la salle des professeurs.

Le diplôme, je le cache dans le dictionnaire ; tandis que les insignes de mérite, je les dissimule parmi les bijoux et les boutons souvenirs dans la trousse de maquillage. Encore un essayage de valise. Que prendre, que laisser chez les parents ?

Évasion.

GENÈSE (APOCRYPHE)

Jour 1

Comme toujours pendant mon sommeil, *ceux qui savent* remontent les mécanismes du monde.

Ils font la grande roue, déclenchent, démontent, redessinent les frontières.
Avec leurs clés lourdes de mollets.

Ils savent pour les usines, pour les hôpitaux, ils savent la distance entre la Terre et la Lune, la recette du pain.

Ils savent laver leurs morts, coudre des vêtements, faire des vaccins et isoler des isotopes radioactifs.

Ceux qui savent montrent, font croire, soignent les apparences.

Je me demande : dans quelle langue se donnent les ordres ?

Y a-t-il une langue pour le jour, une autre pour la nuit ?

Je m'étire et je me rappelle : hier soir, je suis arrivée à Mirabel, l'aéroport international de Montréal. Avec deux valises et aussi, avec l'enfant.

Le frère, ici depuis deux ans déjà, m'avait écrit qu'on n'attend jamais en file pour acheter des aliments et que le Canada s'appuie sur un bouclier, une plaque tectonique, donc pas de tremblements de terre. Il me dit aussi, dès l'aéroport :

Et surtout, ne parle pas à la française : ils vont te détester ! Il me dit ça, bien sûr, en roumain.

Pas de tremblements de terre, pas parler à la française, mais du pain, des œufs, du lait, des bananes, des pommes, de l'huile… et du parfum pour quand j'aurai de l'argent.

En Roumanie, tous ceux de mon âge ont gardé un souvenir terrifié du 4 mars 1977 :

un grand séisme, 7,2 sur l'échelle de Richter, a secoué les Carpates orientales, une région située à la jonction de plusieurs microplaques tectoniques particulièrement actives. Depuis, l'expression *plaque tectonique*, avec la consonance teutonique, me fait trembler.

Une partie du centre historique de Bucarest est détruite. À sa place, pendant des mois et des mois, s'étend une esplanade sentant la mort et la peur.

Une odeur douceâtre, impossible à oublier, de corps en décomposition.

Des gens connus, des acteurs, des musiciens, des écrivains y ont perdu la vie.

Des églises éventrées montrent leur Saint des Saints et les objets de culte sont volés. Prévenus à temps, dès l'aube, les saints se sont enfuis par la fenêtre.

Délit d'initiés.

C'étaient des saints à perpétuité. Je ne sais pas ce qu'on leur reprochait, mais ils ont dû en avoir marre des ogives et des encens.

Ils étaient si pressés qu'ils ont oublié leurs auréoles et sont partis nu-tête.

Hier encore, ils se tenaient droits, sans un geste, sans un sourire. Ils étaient tous à table. Enfin, celui du milieu, il paraît qu'il était bâtard, de père inconnu. Pour qu'on l'accepte, il a fait des histoires, des chemins de croix, des paraboles ; il s'est même fait passer pour le fils de Dieu. Il y en a eu douze qui l'ont accepté, en plus d'un paralytique, d'une pute, d'un douanier malhonnête et d'un aveugle.

Et parmi les douze, il y en a un qui l'a vendu, un qui l'a trahi trois fois avant que le coq ne chante et un autre qui s'est endormi sur son épaule. Ils avaient tous si honte qu'ils se sont mis à parler en langues.

Pour pouvoir leur pardonner, il a fait pénitence, il n'a pas mangé pendant quarante jours et il leur a même lavé les pieds. Quand il a vu que rien n'y faisait, il s'est *élevé* de table.

Tout au long de cet ancien printemps, la ville entière a gardé une odeur âcre et douceâtre, impossible à prendre pour autre chose : des corps en décomposition, jamais trouvés, ensevelis sous des montagnes de décombres couleur brique et ciment. Funérailles et décombres.

La fureur populaire grondait : tous voyaient dans cette catastrophe naturelle une malédiction due à la destruction des églises orthodoxes commandée par le président du pays.

Les villes sont systématisées. Des immeubles d'appartements gris prolifèrent sur les esplanades-cicatrices de l'ancienne ville. Des paysans devenus travailleurs d'usine élèvent des poules sur les balcons. Printemps après printemps, de petits jardins potagers prennent racine : du thym, du persil, des oignons verts, des aubergines, de la livèche, quelques rares fleurs aussi.

Dans les manuels d'histoire et sur les cartes, le sous-sol fait rêver et nous met devant la destinée de la géographie : microplaques scythique, turque, moésienne et transylvaine.

Non satisfaits de notre diversité géologique, nous touchons même au sanskrit par la langue des gitans (*tzigani*).

Nous n'avons pas le luxe d'une catastrophe naturelle qui nous soit propre : même le tremblement de terre doit être partagé avec la Bulgarie, au sud.

Le frère avait écrit dans ses lettres : *Pas de tremblements de terre ici, on ne doit jamais attendre en file pour acheter des aliments.* On *peut dire tout ce qui nous passe par la tête sans que les policiers nous embarquent.* On peut avoir facilement un passeport. Mais le frère dit aussi, dès l'aéroport : *Et ne parle surtout pas à la française. Ils vont te détester.*

Pourtant, hier soir, le soir même de mon arrivée, il y a eu un tremblement de terre. Magnitude de 6,2 sur l'échelle de Richter, épicentre dans la région de Saguenay. Peu de dommages, aucun mort.

Au lieu de me mettre à l'abri, j'appelle le frère pour lui demander des comptes : *Tu m'as promis qu'ici on n'aurait pas de tremblements de terre.*

Le grand frère fait partie de ceux qui savent. Un doute terrible me saisit : et s'il n'était pas infaillible ? S'il s'était trompé pour le français aussi ? Où irait le monde ?

Alors, si ce n'est pas dans un français à la française, dans quelle langue se donnent les ordres ?

Y a-t-il une langue pour le jour, une autre pour la nuit ?

Il fut un jour, le premier, et il fut un matin.

Jour 2, deuxième café

Ce matin, à mon réveil, la terre ne tremble plus. Ceux qui savent comment faire tourner le monde ont dû mettre un peu d'huile dans les rouages.

Dans la cuisine, des cafards. Je n'en ai jamais vu auparavant.

Chaque soir, après le bain de l'enfant, pendant son sommeil, je répands sur les meubles de cuisine une poudre blanche qui tue les cafards. Ils mangent la poudre et sont vite desséchés. Toujours pendant le sommeil de l'enfant, vers quatre heures du matin, je ramasse les cafards morts et je lave trois fois toutes les surfaces.

À cause des cafards, pour l'enfant, je deviens chaque nuit vers quatre heures un de ceux qui savent.

Deuxième café, avec les sept heures de décalage horaire.

Il faut défaire les deux valises. Le nombre réglementaire est de deux quand on quitte définitivement le pays. Sur le passeport, c'est écrit en trois langues, roumain, russe et français :

Titularul acestui pașaport este cetățean român stabilit in străinătate.
Владелец этого паспорта – Румынский поселились за границей.
Le titulaire de ce passeport est citoyen roumain domicilié à l'étranger.

Entre moi et les objets un brouillard lumineux : celui du départ.

Deux valises et l'enfant.

Dans les valises attendent patiemment le grand dictionnaire de la langue roumaine, deux mètres de ruban de soie aux couleurs du drapeau (rouge, jaune, bleu) et mon abécédaire. Le livre de recettes de ma mère et la Bible sont enveloppés dans des vêtements.

Quelques livres de mon père, obtenus de haute lutte : *L'histoire commence à Sumer*,

La civilisation assyro-babylonienne, *Les confessions* de Rousseau et *La civilisation de l'Égypte antique*.

J'ai dans ma valise des échantillons de l'esprit aventurier de ma mère : *L'expédition du « Kon-Tiki » : sur un radeau à travers le Pacifique*, *L'île de Pâques* et la biographie de Fridtjof Nansen.

C'est lui qui a donné le nom aux passeports Nansen, pour les apatrides. Je l'ai mis dans la valise au départ : sait-on jamais ?

À l'aéroport de Bucarest, les douaniers ont réquisitionné mon plateau en argent avec les petits verres pour l'apéritif : importation de Russie.

Ils ont demandé un peu, pour la forme, mais les mains étaient déjà dessus, rapaces.

J'ai dû leur laisser aussi le parfum qui venait d'Allemagne, la casquette de bébé et l'ourson en peluche qui venaient de France. Comme moi, ils croient qu'une fois *dehors*, tout devient facile. En Occident, tout se trouve en abondance, et en permanence, tout le monde a du bon parfum, porte des bijoux magnifiques. Il y a même du lait en poudre, des préservatifs et du café. Et des couches jetables.

Les douaniers de l'aéroport, qui voient passer des milliers de voyageurs sans jamais sortir du pays, sont dans l'entre-deux, glauque, dehors-dedans.

Ils m'ont confisqué aussi le stylo-plume en or, cadeau de mon père : il venait de Chine. Le stylo, je ne le leur pardonnerai pas. Jamais !

Dans les valises, pas de manteaux d'hiver. À mon arrivée, ce n'est que la fin novembre, mais tout est déjà enseveli par la neige. Ce n'est certainement pas la même planète. Le ciel est haut, la lumière tombe en diagonale, nous sommes sur le front de la Terre.

J'appelle au pays, trois minutes, pour saluer les parents restés là-bas. Quand le père décroche (quand ça semble grave, important, c'est le père qui décroche), j'entends le déclic habituel : ils écoutent nos conversations téléphoniques depuis quinze ans déjà.

Avec le père, nous avons établi un langage à nous, sous-titré selon des codes, des clés. Et ça s'est fait naturellement, sans qu'un mot soit dit.

Nous n'avions nulle part où aller pour parler en privé et nulle part où cacher des objets. Quand la police secrète venait, on cachait des bibles dans les ruches. Heureusement, tout le monde a peur des abeilles et tout policier n'est pas apiculteur.

Même à l'église, assis au premier rang, semaine après semaine, l'agent de la police secrète était là. Il notait tout ce qui était dit.

L'Apocalypse et le Livre de Daniel, livres prophétiques, ainsi que les métaphores, lui ont causé beaucoup de souci.

Il a dû visiter mon père pour se faire expliquer les sermons. J'ai entendu dire qu'il se serait converti après la révolution.

Ne pas parler à la française. Comment parler français *pas à la française* ? Grand mystère ! Mais je n'ose pas demander au frère, l'auteur de cette injonction, dès l'aéroport. Le mystère reste entier.

Non, je ne le demanderai pas au frère, surtout pas au téléphone.

Pas de codes connus, applicables à cette nouvelle vie : des objets insolites, des habitudes de vie, des aliments, des fruits que je ne connais pas et ne sais pas plus nommer dans ma langue.

Dans les magasins, on m'adresse la parole en français et en anglais. Je me fais l'oreille.

Entre mon nouveau pays et moi, le brouillard lumineux filtre toutes les images et amortit les sons. Dès le matin, chaque geste et chaque respiration baignent avec moi dans un sentiment d'irréel. Apesanteur !

Je suis enchantée du salut des chauffeurs d'autobus. Ce sont les seuls à me souhaiter la bienvenue. Mais pour leur répondre, je ne trouve pas de mot équivalent au roumain *bine v-am găsit!* (Bien trouvé !)

Hmm, cette grande dame, la langue française, aurait-elle des insuffisances, des absences ? Par exemple, cette manie de faire souvent dans l'exception, vraie lubie de vedette.

En plus de cet étrange brouillard entre ma nouvelle vie et moi, un poids énorme, une pression sur la tête et les épaules m'oblige à m'allonger souvent.

Sentiment d'imposture, de non-droit. Dans le métro, dans l'autobus, je me lève et je cède ma place même si d'autres places sont disponibles.

Les ayants droit, et s'ils s'en rendaient compte ?

Je ne parle pas, pour ne pas parler *à la française*. Je dis seulement : *bonjour, merci*.

Le frère m'a aussi dit qu'il ne faut pas regarder le visage des gens. Ils n'aiment pas ça, être dévisagés. Ça doit être une superstition locale ; on ne leur enlève tout de même pas le visage en les regardant.

Il fut un jour et il fut un soir.

Jour 3

Aujourd'hui, j'ai acheté des aiguilles à tricoter, un peu de laine, des aiguilles à coudre et du fil, des ciseaux, des pinces à linge.

L'homme en attente, le père de l'enfant, a déjà acheté un marteau, un tournevis, des clous, un escabeau.

Pour l'enfant, des Lego. Des crayons de couleur et des céréales colorées.

Tout est prêt : le domicile, la femme, l'homme et l'enfant.

Je crois qu'on peut se mettre à vivre.

Autrefois, là-bas, je me préparais longuement pour jouer, je plantais le décor, heureuse du jeu à venir. Les fleurs de camomille dans des vases minuscules, un petit tapis coupé dans une carpette déchirée, une bougie à demi fondue pour l'illusion du feu et de ses ombres. Trop souvent, la joyeuse anticipation du jeu restait le seul jeu. On nous appelait à table.

Je constate que la vie permet trop d'interruptions.

Faire les valises, ça m'a pris six mois, au moins. Je faisais souvent des essayages de valises : ce qui sort, ce qui entre, comment savoir ce qui sera bon et nécessaire une fois *dehors* ?

Tour à tour, les objets prennent place dans les valises qui ne ferment jamais. Le plus difficile, après le choix des valises elles-mêmes, est de choisir des vêtements pour moi et pour l'enfant. Au-dehors, en Occident, les gens semblent très élégants.

Les visites chez la couturière deviennent hebdomadaires : transformer une robe, se faire couper un tailleur dans une étoffe anglaise, faire faire à l'enfant des chemises en soie. Mais comme les tissus aussi, les beaux, ne se trouvent que sur le marché noir, quelques mètres d'un morceau de parachute en soie japonaise, donnés par le frère, sauvent la mise.

Pendant des nuits et des nuits, découdre les sangles et les coutures du parachute. Penser aux parachutistes, à leur vie sauve, avec des ciseaux finement ciselés. Ne pas couper la trame, couper les fils.

Laver ensuite la soie et la teindre avec des plantes. Le résultat : deux chemises élégantes pour l'enfant, et pour moi, une robe d'été et une chemise de nuit. Chaque vêtement a une couleur différente. Camouflage réussi.

La couturière accepte de se faire payer partiellement en miel et en café. Une robe de soirée s'ensuit, dentelle noire doublée de soie orange.

Les réserves en miel du père fondent à vue d'œil.

Je me prépare pour la grande fête de ma vie. Il faut être beau, propre, tout neuf, pour l'Occident.

Il faut être à la hauteur, montrer patte blanche, mériter son nouveau pays.

Il faut être plus beau, plus propre que les légitimes, les enfants de sang. Dans les orphelinats aussi, on choisit les plus beaux. Dans la Roumanie de Ceausescu, il paraît même qu'on a créé des orphelinats où on apprend aux enfants à parler directement en français pour les vendre en adoption à l'étranger.

J'ai toujours voulu aller à Paris, voyager, étudier, m'illustrer.

Samuel Rosenstock l'a bien fait, lui. Pendant mes années de lycée, je fréquentais un cénacle littéraire artistique nommé d'après lui, fils de la ville : le cénacle Tristan Tzara.

J'ai lu tout ce que j'ai pu trouver au sujet des artistes roumains qui ont fait leurs études à Paris. Sur les scientifiques et les autres, les récits sont plus avares de détails.

J'ai une collection de *en français dans le texte*.

Je connais par cœur des passages entiers qui décrivent les ombres des cathédrales, la Sorbonne, les quais de la Seine et les bouquinistes, la vie de bohème, Montparnasse et le Café de Flore. Des chansons aussi, par les plus français des Français : Aznavour, Moustaki, Ferrat et Gainsbourg.

Les frontières sont fermées, mais j'irai tout de même dans un pays où on parle français. Et une fois dehors, plus de frontières. Vertige !

Sans les frontières, peur de tomber dans le grand abîme horizontal.

Je fais beaucoup d'efforts pour me débarrasser de tout ce qui peut ressembler à un comportement d'Européenne de l'Est, comme d'autres se dégrossissent de leur provincialisme. Ma province de l'Est.

Je récite des poèmes en français et je relis avec étonnement et délectation le verdict du ministère de l'Immigration du Québec, au Canada, qui m'a écrit de Rome : *Après l'étude positive de votre dossier, nous vous accordons, à vous et à l'enfant, le statut de résidents permanents*.

Je suis folle de joie : on nous veut, on nous accepte. Et ils ne nous ont même pas vus encore, ni nous ni nos vêtements. Je dois vraiment être digne de cette confiance, je me dois d'être à la hauteur.

Je redouble d'efforts pour le français. L'enfant sait quelques mots, quelques comptines et chansons, il répète après moi, mais ne parle pas beaucoup dans aucune langue… Il n'a pas encore deux ans.

Mais la formulation *l'étude positive* me laisse perplexe.

Je sens la menace, toute proche, je me concentre pour bien détacher les mots. *L'étude positive* reste collée dans mon esprit à la possibilité, et à la hantise, de *l'étude négative*.

Le plus grand étonnement vient de ce qu'on appelle le résultat dans l'action même d'étudier le dossier.

L'étude a été bienveillante, positive ? Je trouve la formulation très élégante et je la contemple souvent, avec délice.

Tout juste après la lecture de la lettre, le voile de lumière refait son apparition et s'installe à demeure. Les dés sont jetés.

*

Les valises se sont fermées, après des mois de valse-hésitation. Quel objet mérite d'y prendre place plutôt que d'en être retiré ?

Que laisser chez les parents ?

Dans tout ce branle-bas, les dictionnaires n'ont jamais quitté les valises, tout comme l'abécédaire et l'histoire de l'Égypte antique. Confusément, le mot *Égypte* faisait son effet : le peuple juif a erré pendant quarante ans dans le désert, des miracles se sont produits, on a rechigné, blasphémé, mais à la fin de ce périple, moitié bénédiction, moitié punition, les Juifs ont eu leur Canaan. Il y coulait du lait et du miel.

Un autre livre qui n'a jamais quitté les valises : le livre de recettes de la mère. Sans lui, je craignais la faim éternelle pour moi et pour toute la famille.

Pas n'importe quel livre de recettes, pas une édition moderne, revue et augmentée. Non : le livre de recettes qu'on lui a offert à son mariage et qui a accompagné toute mon enfance.

Tous les repas de fête, les soupes de convalescence, les blagues autour des plats ratés, les anniversaires, les naissances et les décès dans leur version alimentaire étaient enfermés dans ce livre.

Dans le livre de recettes de ma mère, toutes les saisons, aussi, de préparation des conserves. Alchimiste en chef, elle présidait jour et nuit aux transformations extraordinaires des poivrons, aubergines et tomates. Les coings, les griottes, les myrtilles se soumettaient à sa volonté et se laissaient mettre en pots.

Avec les bons de rationnement – un kilo de sucre par personne par mois, un litre d'huile par adulte par mois –, préparer des conserves tenait du miracle et du sacrifice.

Dans les mois qui précédaient les conserves, nos cafés étaient bus sans joie ni sucre. Les cristaux précieux s'entassaient dans la chambre froide, à l'abri des yeux envieux et des fourmis.

Avec le livre de recettes de ma mère, espèce de grigri culinaire, je me suis prémunie contre la famine.

Avec les dictionnaires, contre l'oubli.

La vie, la nouvelle, peut commencer.

Il fut une nuit et il fut un matin.

Jour 4

Ce matin, ceux qui savent faire tourner le monde se font discrets.

À mon réveil, tout ronronne comme d'habitude.

Je mets toujours de côté les œufs, le lait et la viande, pour l'enfant. Entre ma nouvelle vie et moi, entre le mari et moi, entre les objets et moi, le voile de lumière, cette lumière un peu laiteuse, arrondit les contours et amortit les sons.

Tout sent différemment. Ma peau et mes déjections sentent différemment et les journées de sang aussi.

Pour la première fois depuis des années, je ne suis plus constipée, je mange suffisamment. Toutefois, je ne réussis pas à retrouver le goût des aliments. Tout goûte le carton.

Dans mon voile de lumière, je n'ose pas regarder de trop près les petits pots de yogourt aux fruits ; ils sont jolis, colorés, et doivent coûter une fortune.

Dans mon pays, plus on s'éloignait du gris, du terne, plus ça coûtait cher. Je tourne autour du pot que je crois inaccessible.

Mon corps qui sent différemment, l'air lui-même et un poids sur les épaules qui m'oblige à rester couchée, souvent.

La rue glacée sent la lessive, ma nouvelle vie sent la lessive, le hall d'entrée sent la lessive. Une purge.

En promenade, l'enfant tout de laine vêtu, laine du pays tricotée par moi, pantalon, pull-over, gants, foulard et bonnet, l'enfant sur la neige dit avoir des pieds de verre.

Ces jolis bottillons couleur beurre frais ne font pas le travail. On lui achète des bottes pour petit garçon, des bottes informes et foncées. L'enfant n'est plus élégant du tout. Mais il n'a plus froid.

Je garde pendant des mois et des mois l'habitude de mettre de côté les œufs, le lait et la viande, les plus beaux fruits, pour l'enfant.

L'enfant mange bien, regarde des dessins animés, et depuis qu'il a découvert les Lego et les céréales colorées, il s'occupe tout seul.

Je regarde autour de moi, pas une plante, pas de meubles jolis. Nous n'avons qu'un tout petit balcon qui donne sur le gris de la rue. Sur le toit du bâtiment voisin, plus bas, les déchets jetés par les voisins font piètre figure. Je fabrique des rideaux, je découvre la salle de lavage qui sert à tous les appartements ; toujours aucune trace de l'avenir radieux.

L'enfant va maintenant à l'école et pleure quand je lui pose en roumain des questions sur sa vie en français. Il ne sait pas me répondre, je m'impatiente. Les mots lui manquent, il apprend la vie directement en français et son vocabulaire roumain arrête de grandir vers l'âge de 4 ans.

Les cafards sont tous morts. Je laisse *ceux qui savent* faire seuls leur travail nocturne. Leur travail nécessaire.

Ils font correspondre les vides avec les vides et les pleins avec les pleins. Ils accomplissent leur travail rondement.

Jour 5

Il fut un soir et il fut un matin.
Entre les deux, je redevins femme.

Après trois ans en attente du passeport, le voile de brouillard lumineux s'était aussi glissé entre moi et moi-même. Il engourdissait mes sensations et veillait à me préparer à, peut-être, ne jamais plus revoir le père de mon enfant. Jamais plus.

Beaucoup trop de choses définitives pour quitter le pays. Les feuilles du passeport lui-même ne s'ouvrent que vers l'extérieur. C'est davantage un laissez-passer, un sauf-conduit qu'un passeport.

Vingt ans après d'Alexandre Dumas fut une extraordinaire découverte. Cadeau de la mère pour les 15 ans du frère. Du haut de mes 8 ans et à cause de l'interdit supposé (en roumain, ça se lit : *Après vingt ans*), je l'ai lu en cachette.

Le sauf-conduit de D'Artagnan signé par Richelieu, chef-d'œuvre de diplomatie et de ruse, me revient à l'esprit : *C'est par mon ordre et selon ma volonté que le porteur de ce sauf-conduit a fait ce qu'il a fait.*

Des *jamais plus*, et l'attente interminable. Des convocations aléatoires de la police secrète, avec ou sans le bébé, pour me dissuader de quitter le pays. C'était avant le passeport.

À leur école, les officiers de la police secrète ont dû étudier attentivement Kafka et les surréalistes.

Pour obtenir le passeport, ordre vous est intimé de déposer chacun des documents suivants :

– *Attestation que vous ne possédez pas de maison sur le territoire de la République socialiste ;*

– *Attestation que vous ne possédez pas de poste de radio sur le territoire de la République socialiste ;*

– Attestation que vous ne possédez pas de terrain sur le territoire de la République socialiste et que vous renoncez à tout héritage futur ;

– Attestation que vous ne possédez pas de machine à écrire sur le territoire de la République socialiste.

Les machines à écrire, avec leur empreinte d'écriture, sont fichées, et les fiches sont centralisées.

Chacune des attestations doit être obtenue dans un endroit différent, à des heures aléatoires, selon le bon vouloir des émetteurs en place. Il faut payer les taxes, coller beaucoup de timbres et en payer d'autres, les timbres secs. De plus, chacun attend un *bakchich* : du café, des cartons de cigarettes étrangères, de l'alcool étranger. À l'occasion, les règles changent, *revenez la semaine prochaine*.

La semaine d'après, deux ou trois signatures supplémentaires sont demandées. Au lieu d'un paquet de café, on demande soudain trois paquets de café emballés à l'étranger, ce qu'on appelle communément *café étranger*, même si jamais l'ombre d'un caféier n'a flotté sur le sol du pays.

Les paquets de café sont devenus une monnaie d'échange, des lingots plutôt. Passés de main en main, les coins dorés des emballages se ternissent avec le temps.

Dans les épiceries, on trouve des mélanges de café, d'orge et de pois chiches. Il y a aussi la chicorée du temps de la guerre. Pour faire chic, pour les invités, sur la surface d'un café ainsi mélangé, on laisse flotter un vrai grain de café. En ce temps de guerre sans guerre, des bons de rationnement pour le lait, pour l'huile, le sucre et le pain. La viande ne se trouve que sur le marché noir.

Les blagues sur des sujets politiques (les victuailles en font partie) pullulent. Les raconter, au prix d'être dénoncé, représente une dernière subversion, une manière de se croire encore digne, encore maître de sa destinée.

Démoralisés, fatigués, nous résistons, pour la plupart, à l'obligation de dénoncer nos parents, nos voisins, nos frères. Tous ne résistent pas, ne résistent plus : le peuple devient l'ennemi du peuple.

*

La deuxième valise est ouverte sur des choses superflues : des vêtements trop élégants, pas assez chauds ; nous sommes en novembre, jour 5 d'émigration. À l'extérieur, la neige fige le paysage et à l'intérieur, dans le minuscule appartement, les cafards sont mon secret : l'enfant ne les a pas vus et je fais mon rapport à *ceux qui savent.*

Les frontières se scellent de l'extérieur aussi : trop dangereux de retourner au pays, trop cher aussi. Et ce nouveau scellant, économique, prend toute la place : travailler, économiser, étudier.

*

Paris est plus loin que jamais, le français que j'entends, je ne le comprends pas tout à fait.

Je me fais l'oreille. Des secousses de découragement.

Appeler sur son propre berceau d'autres fées, dans une autre langue, pour conjurer le sort, changer de destinée.

Sans le savoir, j'écris mon dernier poème en roumain, *Seve deturnate*, *Sèves détournées*.

Je ne parle pas, je ne dois pas parler à la française. Je lis, je me fais l'oreille.

Mon pays, c'est le français, et je le trouve dans les livres. Je dois en sortir de temps à autre ; je dois retourner à l'école, on a décapité mes diplômes d'études. Pourtant, je croyais abolie la peine capitale.

Le couperet tombe très vite. *Cinquième secondaire*, *serrurier mécanique*. Pourtant, j'ai fait le cours classique, moi, j'ai fait du latin et même de la physique atomique et nucléaire.

Mais je ne fais pas de phrases complètes en français, je ne peux pas lutter avec eux, je ne peux pas demander, je ne comprends pas, ils ne comprennent pas.

Je demande quand même des cours de *français comme tout le monde*, pas pour allophones. Je veux apprendre.

J'ai des maux de tête chaque jour. Elle est impitoyable, la grande dame. Tout se passe en français, tout le temps.

En désespoir de cause, je me rabats sur l'écriture de poèmes. Comme les petits pots jolis et colorés de yogourt, les longues phrases bien tournées me restent inaccessibles.

Je lis, je lis, mais beaucoup plus lentement qu'en roumain. Je me sens humiliée, rétrogradée.

Carré-ment

Salut ! Moi, j'étudie en lettres, en mètres, en lettres carrées.

J'étudie en lettres, en degrés Celsius, Richter et de beauté.

J'étudie en lettres, en traitement de texte, en sans espoir.

J'étudie en lettres, en pieds, en cœurs accent aigu.

J'ai bien hâte de passer aux phrases.

Jour 6

Il fut une nuit et il fut un matin.

Les journées de semaine se tiennent en bouquet serré par les matins. Vers le soir, gorgées par le travail, les larmes et la chaleur, les journées se dilatent en gigantesque éventail.

Le français a un goût de migraine.

Toujours ce voile de lumière entre les objets et moi. Je m'assois sur les mots, je roule les *r*, mais je me fais comprendre. Mon français est presque phonétique.

Ce qui me pose le plus problème, c'est le genre des noms, mon univers est sens dessus dessous : *rose*, *huile* et *épaule* au féminin, quand je les ai connus au masculin, *cœur*, *banc*, *visage* ou *pays* au masculin, quand je les ai connus au féminin ou neutres.

Travestir ainsi mon univers, ça ne me va pas du tout. Il faut se le rappeler, et les interlocuteurs qui vous demandent de répéter, de reprendre, de reformuler.

Des gens qui vous corrigent, tout le temps.

Toujours aussi lointaine et impitoyable, cette grande dame. Mais je l'aime depuis trop longtemps, je l'amadoue, je lui demande grâce. Amour désespéré à sens unique.

Je ne parle pas à la française, je m'assois fermement sur mes phrases.

On me surnomme la *dame au dictionnaire* : il y a déjà eu la dame aux camélias, la dame au petit chien, mais la dame au dictionnaire… Un peu lourd comme accessoire.

Je commets impunément des crimes de dissonance, de lèse-français.

On me demande toujours d'où je viens, *ah ! Nadia Comaneci, ah ! Ceausescu*. Et *ah, on est bien ici, chez nous*.

Je me réveille maintenant, le plus souvent, du côté du français. Je lis, je lis et je lis. Ce n'est pas encore gagné, mais je lis maintenant presque aussi vite qu'en roumain.

Ça m'aura pris six mois.

Et j'écris.

Parallèles

Je mets le pied sur le continent méconnu
de la langue française.
Les uns disent : c'est Hugo, c'est Molière
ou Verlaine ;
Les autres : Saint-Exupéry ou Prévert…
Mais ils se trompent, comme autrefois pour
l'Amérique.
Mon nouveau continent, c'est la langue
française ;
Continent triste, sans souvenirs et sans
enfance,
amour sans répit.

Sur mon nouveau continent, je vis
pauvrement,
Sous le seuil du traduisible.
Pas un laps de terrain à moi pour grignoter
La tristesse. Pas d'ami – havre pour fêter
la vie.

De Nelligan et Verlaine, de Prévert et
Vigneault,
de colère et Leclerc,
je construis lentement mon continent
parallèle.

Jour 7, et tous les autres

Il y a aura toujours un avant et un après ce long, cet interminable voyage en avion avec l'enfant. AV (avant voyage) et AV (après voyage). Un peu difficile de croire que c'est si différent. AV et AV, c'est du pareil au même. J'écris pour la dernière fois le mois en chiffres romains. 25 XI 1988.

Sauf, bien entendu, pour dater les lettres que j'envoie au pays. Par délicatesse pour ceux qui écrivent toujours les dates en chiffres romains.

Ils n'ont pas appris que les chiffres romains sont lettre morte. Ce n'est pas le genre d'information qu'on obtient en écoutant Radio Europa Liberă, ni Vocea Americii.

L'enfant, avec ses Lego, ses dessins animés et ses céréales colorées, se fait inviter chez des amis. Nous, les parents, jamais.

On émigre toujours pour l'enfant ; c'est ce qu'on dit.

On cherche ailleurs *l'avenir radieux* qu'on nous a fait miroiter, pour lequel on a souffert, planté des arbres, gagné des prix, tenu le drapeau, tiré dans les cibles, fait ses devoirs à la lumière des bougies. Cet avenir radieux pour lequel nous avons fait notre autocritique.

Il me semble logique de rencontrer quelques inconvénients avant d'y accéder. Et je l'accepte encore une fois ; pour moi, pas pour l'enfant.

Les cafards dans l'appartement sont anecdotiques. Il doit y en avoir à Paris aussi. Je l'ai lu quelque part : des blattes et des cafards dans les chambres de bonnes mansardées, que les étudiants étrangers louent. Je n'en ai jamais vu auparavant puisque je n'ai pas assez voyagé, forcément. Les cafards, le froid, le bruit, l'exiguïté font partie d'une certaine bohème, non ?

Je suis sortie du rang, de ma lignée. Je suis aussi sortie de mon continent.

La généalogie grince, fait des contorsions. Transporter clandestinement des graines qui, le moment venu, explosent avec fracas.

Chaque printemps, au mois d'avril, le père me téléphone.

Ce mai faci Moaca, esti bine ? Te-am sunat sa-ti spun c-a înflorit liliacul !

Comment vas-tu, petiote ? Je t'ai appelée pour te dire que ton lilas est en fleurs.

Aux alentours de la Pâque orthodoxe, le lilas fait des siennes.

Les gens de la police secrète qui écoutent nos conversations téléphoniques demeurent interdits. Ils convoquent ensuite le père : il doit expliquer cette histoire de lilas blanc. Est-ce un code ? Un signal ? Radio Europa Liberă l'a déjà utilisé, apparemment.

Non, dit mon père, *ma fille aime beaucoup ce lilas*.

Elle est folle ? Pourquoi est-elle partie si loin de son arbre, alors ?

Elle voulait étudier à Paris, voyager, parler français.

À Paris ? Qui lui a mis en tête cette idée subversive ?

Les livres, les lectures, les tableaux.

Mais elle ne vit pas à Paris, ricanent-ils.

Elle parle français, dit le père avant de se taire, pour ne pas les provoquer.

Ce sont les mêmes : ceux qui vous embarquent à la suite de dénonciations sommaires, ceux qui ont exigé, avant de délivrer le passeport, des tas de documents qui attestaient la non-possession de biens sur le territoire de la République socialiste. Des documents qui n'existaient pas, pour des biens inexistants.

La blague voulait que :

Si tu parles contre le régime politique en place, on t'embarque.

Si tu ne parles pas contre le régime, on t'embarque aussi. La faute : flagrant désintérêt envers le destin politique du pays.

Encore et toujours, la bonne blague susurrée en secret à l'oreille. Les soirées de vin et de brume retardent la révolution.

Oui, ceux qui convoquent le père sont les mêmes, à l'identique. Ce sont les mêmes et ils semblent immortels.

Le lilas blanc me manque chaque printemps et la plaque en émail bleu et blanc sur la maison, le numéro 63, aussi.

Je voulais emporter la plaque avec le numéro de la maison, en partant dé-fi-ni-ti-ve-ment du pays. Les parents ont refusé catégoriquement. Dans toute la rue, dans toute la ville, les maisons disposaient de la même plaque, seul le numéro différait, bien entendu. On ne construisait plus de maisons, que des immeubles d'appartements. L'atelier qui faisait les plaques des numéros de maison avait brûlé, il y a longtemps.

La plaque de la maison, la petite plaque en émail, c'est la seule chose que les parents m'aient jamais refusée. L'identité de la maison, leur fierté de propriétaires entrés dans le rang.

L'enlever aurait été vu comme une dégradation sur la place publique. L'opprobre ; et tous les grades, les médailles, arrachés et piétinés.

C'est pourquoi je n'ai pas, dans mes bagages, la petite plaque de la maison. Elle est restée avec les parents, sur la façade borgne, petit carré d'émail bombé, bleu et blanc. On y lit toujours 63.

Pendant mon sommeil, ceux qui savent comment faire tourner la terre font le nécessaire. Seulement, la nuit passée, un bris technique ou une erreur surhumaine a dû se produire. Et hop, la terre a tremblé. Depuis la nuit passée, d'autres continents se dessinent.

Et le septième jour, Il se reposa de toute son œuvre.

C'était il y a vingt-huit ans.

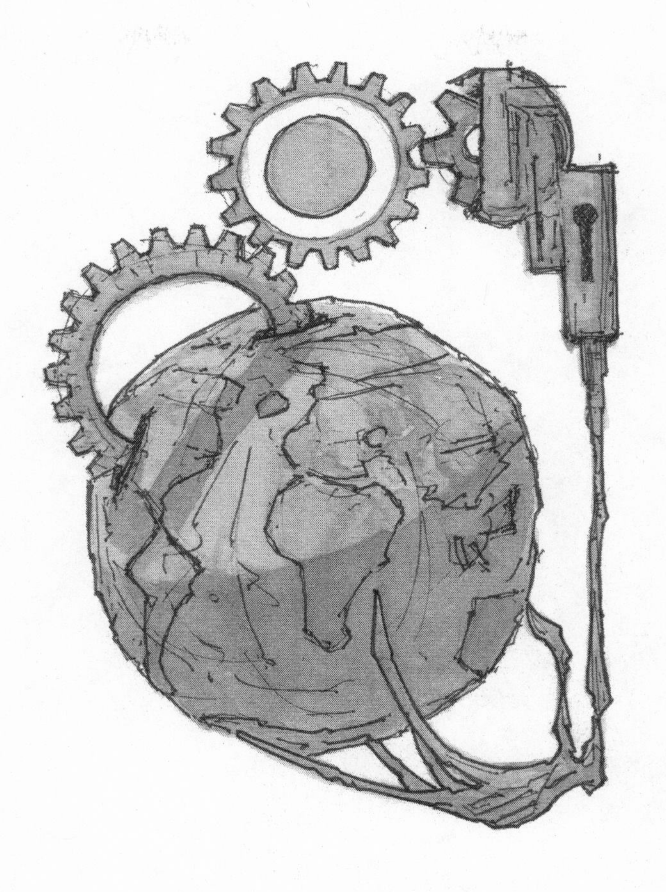

Tourne-monde.

Son de cloche

Je me suis retirée pour écrire et pour apporter à la grande ville l'os déterré de mes souvenirs.

Amarrée au quai de la ville. Point d'équilibre, point de salut !

J'ai risqué tant de fois de perdre pied, happée, aspirée par la grande ville, par le monde extérieur rapide, précis, affairé, et ses tempêtes électriques.

Pour ne pas tomber, j'ai caché dans mes souliers les poids de l'enfance : à gauche, des cailloux de la rivière miraculeuse aux poissons glissants et chatoyants. À droite, la lourde odeur de l'étable et du lait fumant. Le son des cloches et des sabots des vaches qui rentrent seules du pâturage.

J'aime les pages de droite, avec leur tranquillité, leur stabilité, entre appui et espoir.

Les pages de gauche n'ont droit qu'à une lecture rapide, verticale. Quant à l'écriture sur la page gauche, elle est mal assurée, obligatoire, et les lettres sont en équilibre instable.

Les pages de gauche ne sont qu'un mauvais moment à passer.

Tandis que celles de droite…

Vaudreuil-sur-le-Lac
Août 2016

Quelques textes déjà publiés ont été repris dans la présente édition. « Panoptique« » est paru sous le titre « Panopticon » dans les cahiers littéraires *Contre-jour* (numéro 32, février 2014), et « Casting », dans *Virages, la nouvelle en revue en Ontario* (numéro 67, été 2014). Le poème « Parallèles » apparaît dans *Former des adultes en milieu multiethnique*, de Monique Ouellette (Beauchemin, 1995).

Remerciements

À mes premiers lecteurs : Robert et Danielle, Claire et André, ainsi qu'à Luc, Michel et Monique pour leur amicale sollicitude.

À Roxane et Véronique, des correctrices et des êtres hors pair.

À madame Rachida Azdouz, pour ses étincelles interculturelles.

À Edwin et à Andy pour leurs commentaires et leurs dessins.

À la grève étudiante, qui a laissé du temps pour me rencontrer à madame Pascale Noizet.

À Iulia et à sa foi inébranlable.

À monsieur Pierre Foglia, une grande inspiration, à ses fiancées et à ses autres chats à fouetter.

À mon père, à ses livres et à ses abeilles.

À ma mère, la fée-sorcière.

À Frédéric, qui ne lit que des choses publiées.

À Pinel, la dame pas l'institut, qui m'a donné la permission de vivre parmi les pas si fous que ça.

À mon Chevalier blanc pour son enthousiasme indéfectible.

À monsieur Jean-Michel Théroux, mon éditeur, qui a su m'accompagner avec son intelligence panoramique et avec une science oh, combien sensible !

DÉJÀ PARUS AUX ÉDITIONS TRIPTYQUE

sous la direction de Jean-Michel Théroux

Diane Vincent, *Le protocole expérimental*, roman policier

Martyne Rondeau, *Garde-fous*, roman

Chloé Savoie-Bernard, *Des femmes savantes*, nouvelles

Romaine Cauque, *Meilleure chance la prochaine fois*, roman (collection Pop)

Direction littéraire : Jean-Michel Théroux

Révision : Edith Sans Cartier
Composition et infographie : Isabelle Tousignant
Conception graphique : KX3 Communication
Illustrations : Edwin Stanculescu – slingshotavenue.com

Diffusion pour le Canada : Gallimard ltée
3700A, boul. Saint-Laurent
Montréal (Québec) H2X 2V4
Téléphone : 514 499-0072 Télécopieur : 514 499-0851
Distribution : Socadis

Diffusion pour la France et la Belgique :
DNM (Distribution du Nouveau-Monde)
30, rue Gay-Lussac, 75005 Paris
France
http://www.librairieduquebec.fr
Téléphone : (33 1) 43 54 49 02 Télécopieur : (33 1) 43 54 39 15

Groupe Nota bene
2200, rue Marie-Anne Est
Montréal (Québec) H2H 1N1
info@groupenotabene.com
www.groupenotabene.com

ACHEVÉ D'IMPRIMER
CHEZ MARQUIS IMPRIMEUR INC.
À MONTMAGNY (QUÉBEC)
EN OCTOBRE 2016
POUR LE COMPTE DU GROUPE NOTA BENE

Ce livre est imprimé sur du papier Enviro 100 % recyclé.

Dépôt légal, 4e trimestre 2016
Bibliothèque et Archives nationales du Québec
Bibliothèque et Archives Canada